DISCOURS DE LA MÉTHODE
LES PASSIONS DE L'ÂME

RENÉ DESCARTES

Discours de la méthode
Les passions de l'âme

RENÉ DESCARTES
(1596-1650)

Né à La Haye (Touraine) en 1596, René Descartes, fils d'un conseiller au parlement de Bre-
tagne, est d'une nature si chétive qu'au presti-
gieux collège des jésuites de La Flèche, où il a
été envoyé, il est autorisé à étudier depuis son
lit. Ce qui ne l'empêche pas de faire de bril-
lantes études. Maladif, mais précoce! A 20 ans,
il est licencié en droit et semble choisir la
magistrature, comme son père, quand il décide,
malgré sa constitution fragile, d'être soldat.
Après avoir appris l'équitation et l'escrime, il
s'engage dans les troupes du prince hollandais
Maurice de Nassau; il servira aussi Maximilien
de Bavière (l'Europe est en proie à la guerre de
Trente ans) avant de renoncer, en 1620, à la
carrière militaire.

Le 10 novembre 1619, en garnison en
Bavière, il s'est assoupi dans un « poêle » (une
pièce chauffée par un poêle central) et a fait un
songe prémonitoire sur sa méthode et ses
recherches philosophiques.

Mais dans l'immédiat, Descartes, à Paris, fréquente les salles de jeux, où il met à profit son

don pour les mathématiques pour trouver des martingales, voyage en Italie... Il a pris en Poitou possession de l'héritage de sa mère (morte un an après sa naissance) et vit de ses rentes. Il commence à être connu dans les milieux scientifiques, et entretient une correspondance avec des savants européens, s'installe en Hollande, afin de s'éloigner de ses amis et du monde, et aussi se mettre à l'abri d'éventuelles persécutions, pour écrire les *Règles pour la direction de l'esprit*, essai inachevé, écrit en latin, où il expose une conception mathématique de la méthode. Il écrit aussi un *Traité du Monde*, dans lequel il reconnaît que la Terre tourne autour du Soleil, mais en annule la publication, à la suite de la condamnation de Galilée. De ce traité, il ne fait paraître, en 1637, que deux fragments, *les Météores* et *la Dioptrique*, avec une introduction, le *Discours de la méthode pour bien conduire sa raison et chercher la vérité dans les sciences*.

C'est une révolution : parce que le texte est écrit en français (jusqu'alors, les textes philosophiques étaient rédigés en latin), et surtout parce que Descartes, en affirmant qu'il faut « ne recevoir jamais aucune chose pour vraie » sans l'avoir auparavant vérifiée, bouleverse tout l'enseignement scolastique, qui considère que tout ce qui est écrit dans les textes anciens (notamment ceux d'Aristote) doit être accepté comme vrai.

De sa servante, il a eu une fille, Francine, qui meurt en 1640, à l'âge de 5 ans; cette mort, la même année que celle de son père, le brise. Il revient à la philosophie et publie en 1641 les

Méditations métaphysiques. Le retentissement est européen. En Hollande, où il réside désormais, Descartes est condamné pour athéisme. Il revient en France, rencontre le jeune Blaise Pascal, mais les mondanités comme les violences de la Fronde le font retourner en Hollande, où il achève son *Traité des passions de l'âme* (1649).

La reine Christine de Suède, passionnée de philosophie, réussit à le faire venir à Stockholm, où la Cour l'accueille avec dédain : son habillement est extrêmement simple, ses goûts et son alimentation aussi. La reine Christine l'a nommé son professeur de philosophie : il doit la lui enseigner, trois fois par semaine, dès cinq heures du matin ! Sa santé, toujours faible, résiste mal à l'hiver suédois, froid et humide. Il succombe à une pneumonie le 11 février 1650.

Ce grand métaphysicien, grand géomètre et grand physiologiste est enterré à la sauvette, dans le seul cimetière non protestant de la ville, « celui des enfants morts sans baptême ou avant l'âge de raison ». Ses cendres, après avoir failli être transférées au Panthéon sous la Révolution, seront mises à Saint-Germain-des-Prés.

DISCOURS DE LA MÉTHODE

DISCOURS DE LA MÉTHODE
pour bien conduire sa raison, et chercher la vérité dans les sciences.

Si ce discours semble trop long pour être tout lu en une fois, on le pourra distinguer en six parties. Et en la première on trouvera diverses considérations touchant les sciences. En la seconde, les principales règles de la méthode que l'auteur a cherchée. En la troisième, quelques-unes de celles de la morale qu'il a tirée de cette méthode. En la quatrième, les raisons par lesquelles il prouve l'existence de Dieu, et de l'âme humaine, qui sont les fondements de sa métaphysique. En la cinquième, l'ordre des questions de physique qu'il a cherchées, et particulièrement l'explication du mouvement du cœur, et de quelques autres difficultés qui appartiennent à la médecine, puis aussi la différence qui est entre notre âme et celle des bêtes. Et, en la dernière, quelles choses il croit être requises pour aller plus avant en la recherche de la nature qu'il n'a été, et quelles raisons l'ont fait écrire.

PREMIÈRE PARTIE

Le bon sens est la chose du monde la mieux partagée : car chacun pense en être si bien pourvu que ceux même qui sont les plus difficiles à contenter en tout autre chose n'ont point coutume d'en désirer plus qu'ils en ont. En quoi il n'est pas vraisemblable que tous se trompent ; mais plutôt cela témoigne que la puissance de bien juger, et distinguer le vrai d'avec le faux, qui est proprement ce qu'on nomme le bon sens, ou la raison, est naturellement égale en tous les hommes ; et ainsi que la diversité de nos opinions ne vient pas de ce que les uns sont plus raisonnables que les autres, mais seulement de ce que nous conduisons nos pensées par diverses voies, et ne considérons pas les mêmes choses. Car ce n'est pas assez d'avoir l'esprit bon, mais le principal est de l'appliquer bien. Les plus grandes âmes sont capables des plus grands vices aussi bien que des plus grandes vertus ; et ceux qui ne marchent que fort lentement peuvent avancer beaucoup davantage, s'ils suivent toujours le droit chemin, que ne font ceux qui courent, et qui s'en éloignent.

Pour moi, je n'ai jamais présumé que mon esprit fût en rien plus parfait que ceux du commun : même j'ai souvent souhaité d'avoir la pensée aussi prompte, ou l'imagination aussi nette et distincte, ou la mémoire aussi ample, ou aussi présente, que quelques autres. Et je ne sache point de qualités que celles-ci qui servent à la perfection de l'esprit : car pour la raison, ou le sens, d'autant qu'elle est la seule chose qui nous rend hommes, et nous distingue des bêtes, je veux croire qu'elle est tout entière en un chacun et suivre en ceci l'opinion commune des philosophes, qui disent qu'il n'y a du plus et du moins qu'entre les *accidents* et non point entre les *formes* ou natures des *individus* d'une même *espèce*.

Mais je ne craindrai pas de dire que je pense avoir eu beaucoup d'heur de m'être rencontré dès ma jeunesse en certains chemins qui m'ont conduit à des considérations et des maximes dont j'ai formé une méthode par laquelle il me semble que j'ai moyen d'augmenter par degrés ma connaissance, et de l'élever peu à peu au plus haut point auquel la médiocrité de mon esprit et la courte durée de ma vie lui pourront permettre d'atteindre. Car j'en ai déjà recueilli de tels fruits qu'encore qu'aux jugements que je fais de moi-même je tâche toujours de pencher vers le côté de la défiance plutôt que vers celui de la présomption, et que, regardant d'un œil de philosophe les diverses actions et entreprises de tous les hommes, il n'y en ait quasi aucune qui ne me semble vaine et inutile, je ne laisse pas de recevoir une extrême satisfaction du progrès que je pense avoir déjà fait en la recherche de la vérité, et de concevoir de telles espérances pour l'avenir que si entre les occupations des hommes purement hommes, il y en a quelqu'une qui soit solidement bonne et importante, j'ose croire que c'est celle que j'ai choisie.

Toutefois il se peut faire que je me trompe. Et ce n'est peut-être qu'un peu de cuivre et de verre que je prends pour de l'or et des diamants. Je sais combien nous sommes sujets à nous méprendre en ce qui nous touche, et combien aussi les jugements de nos amis nous doivent être suspects lorsqu'ils sont en notre faveur. Mais je serai bien aise de faire voir en ce discours quels sont les chemins que j'ai suivis, et d'y représenter ma vie comme en un tableau, afin que chacun en puisse juger, et qu'apprenant du bruit commun les opinions qu'on en aura, ce soit un nouveau moyen de m'instruire que j'ajouterai à ceux dont j'ai coutume de me servir.

Ainsi mon dessein n'est pas d'enseigner ici la méthode que chacun doit suivre pour bien conduire sa raison ; mais seulement de faire voir en quelle sorte j'ai tâché de conduire la mienne. Ceux qui se mêlent de donner des préceptes se doivent estimer plus habiles que ceux auxquels ils les donnent, et s'ils manquent en la moindre chose, ils en sont blâmables. Mais ne proposant cet écrit que comme une histoire, ou si vous l'aimez mieux que comme une fable, en laquelle, parmi quelques exemples qu'on peut imiter, on en trouvera peut-être aussi plusieurs autres qu'on aura raison de ne pas suivre, j'espère qu'il sera utile à quelques-uns, sans être nuisible à personne, et que tous me sauront gré de ma franchise.

J'ai été nourri aux lettres dès mon enfance, et pour ce qu'on me persuadait que par leur moyen on pouvait acquérir une connaissance claire et assurée de tout ce qui est utile à la vie, j'avais un extrême désir de les apprendre. Mais sitôt que j'eus achevé tout ce cours d'études au bout duquel on a coutume d'être reçu au rang des doctes, je changeai entièrement d'opinion. Car je me trouvais embarrassé de tant de doutes et d'erreurs qu'il me semblait n'avoir fait autre profit en tâchant de m'instruire, sinon que j'avais découvert de plus en plus mon ignorance. Et néanmoins j'étais en l'une des plus célèbres écoles de l'Europe, où je pensais qu'il devait y avoir de savants hommes s'il y en avait en aucun endroit de la terre. J'y avais appris tout ce que les autres y apprenaient; et même, ne m'étant pas contenté des sciences qu'on nous enseignait, j'avais parcouru tous les livres traitant de celles qu'on estime les plus curieuses et les plus rares, qui avaient pu tomber entre mes mains. Avec cela je savais les jugements que les autres faisaient de moi; et je ne voyais point qu'on m'estimât inférieur à mes condisciples, bien qu'il y en eût déjà entre eux quelques-uns qu'on destinait à remplir les places de nos maîtres. Et enfin notre siècle me semblait aussi fleurissant, et aussi fertile en bons esprits, qu'ait été aucun des précédents. Ce qui me faisait prendre la liberté de juger par moi de tous les autres, et de penser qu'il n'y avait aucune doctrine dans le monde qui fût telle qu'on m'avait auparavant fait espérer.

Je ne laissais pas toutefois d'estimer les exercices auxquels on s'occupe dans les écoles. Je savais que les langues qu'on y apprend sont nécessaires pour l'intelligence des livres anciens; que la gentillesse des fables réveille l'esprit; que les actions mémorables des histoires le relèvent, et qu'étant lues avec discrétion elles aident à former le jugement; que la lecture de tous les bons livres est comme une conversation avec les plus honnêtes gens des siècles passés qui en ont été les auteurs, et même une conversation étudiée, en laquelle ils ne nous découvrent que les meilleures de leurs pensées; que l'éloquence a des forces et des beautés incomparables; que la poésie a des délicatesses et des douceurs très ravissantes; que les mathématiques ont des inventions très subtiles, et qui peuvent beaucoup servir tant à contenter les curieux qu'à faciliter tous les arts et diminuer le travail des hommes; que les écrits qui traitent des mœurs contiennent plusieurs enseignements et plusieurs exhortations à la vertu qui sont fort utiles; que la théologie enseigne à gagner le ciel; que la philosophie donne moyen de parler vraisemblablement de toutes choses, et se faire admirer des moins savants; que la jurisprudence, la médecine et les autres sciences apportent des honneurs et des richesses à ceux qui les cultivent; et enfin qu'il est bon de les avoir toutes examinées, même les plus superstitieuses et les plus fausses, afin de connaître leur juste valeur, et se garder d'en être trompé.

Mais je croyais avoir déjà donné assez de temps aux langues; et même aussi à la lecture des livres anciens, et à leurs histoires, et à leurs fables. Car c'est quasi le même de converser avec ceux des autres siècles que de voyager. Il est bon de savoir quelque chose des mœurs de divers peuples, afin de juger des nôtres plus sainement, et que nous ne pensions pas que tout ce qui est contre nos modes soit ridicule et contre raison, ainsi qu'ont coutume de faire ceux qui n'ont rien vu; mais lorsqu'on emploie trop de temps à voyager on devient enfin étranger en son pays; et lorsqu'on est trop curieux des choses qui se pratiquaient aux siècles passés, on demeure ordinairement fort ignorant de celles qui se pratiquent en celui-ci. Outre que les fables font imaginer plusieurs événements comme possibles qui ne le sont point; et que même les histoires les plus fidèles, si elles ne changent ni n'augmentent la valeur des choses pour les rendre plus dignes d'être lues, au moins en omettent-elles presque toujours les plus bases et moins illustres circonstances, d'où vient que le reste ne paraît pas tel qu'il est, et que ceux qui règlent leurs mœurs par les exemples qu'ils en tirent sont sujets à tomber dans les extravagances des paladins de nos romans, et à concevoir des desseins qui passent leurs forces.

J'estimais fort l'éloquence, et j'étais amoureux de la poésie; mais je pensais que l'une et l'autre étaient des dons de l'esprit, plutôt que des fruits de l'étude. Ceux qui ont le raisonnement le plus fort, et qui digèrent le mieux leurs pensées afin de les rendre claires et intelligibles, peuvent toujours le mieux persuader ce qu'ils proposent, encore qu'ils ne parlassent que bas breton, et qu'ils n'eussent jamais appris de rhétorique; et ceux qui ont les inventions les plus agréables et qui les savent exprimer avec le plus d'ornement et de douceur ne laisseraient pas d'être les meilleurs poètes, encore que l'art poétique leur fût inconnu.

Je me plaisais surtout aux mathématiques, à cause de la certitude et de l'évidence de leurs raisons, mais je ne remarquais point encore leur vrai usage, et, pensant qu'elles ne servaient qu'aux arts mécaniques, je m'étonnais de ce que, leurs fondements étant si fermes et si solides, on n'avait rien bâti dessus de plus relevé. Comme au contraire je comparais les écrits des anciens païens qui traitent des mœurs à des palais fort superbes et fort magnifiques, qui n'étaient bâtis que sur du sable et sur de la boue; ils élèvent fort haut les vertus, et les font paraître estimables par-dessus toutes les choses qui sont au monde, mais ils n'enseignent pas assez à les connaître, et souvent ce qu'ils appellent d'un si beau nom n'est qu'une insensibilité, ou un orgueil, ou un désespoir, ou un parricide.

Je révérais notre théologie, et prétendais autant qu'aucun autre à gagner le ciel; mais ayant appris comme chose très assurée que le chemin n'en est pas moins ouvert aux plus ignorants qu'aux plus doctes, et que les vérités révélées qui y conduisent sont au-dessus de notre intelligence, je n'eusse osé les soumettre à la faiblesse de mes raisonnements, et je pensais que pour entreprendre de les examiner, et y réussir, il était besoin d'avoir quelque extraordinaire assistance du ciel, et d'être plus qu'homme.

Je ne dirai rien de la philosophie, sinon que, voyant qu'elle a été cultivée par les plus excellents esprits qui aient vécu depuis plusieurs siècles, et que néanmoins il ne s'y trouve encore aucune chose dont on ne dispute, et par conséquent qui ne soit douteuse, je n'avais point assez de présomption pour espérer d'y rencontrer mieux que les autres ; et que, considérant combien il peut y avoir de diverses opinions touchant une même matière qui soient soutenues par des gens doctes, sans qu'il y en puisse avoir jamais plus d'une seule qui soit vraie, je réputais presque pour faux tout ce qui n'était que vraisemblable.

Puis, pour les autres sciences, d'autant qu'elles empruntent leurs principes de la philosophie, je jugeais qu'on ne pouvait avoir rien bâti qui fût solide sur des fondements si peu fermes ; et ni l'honneur ni le gain qu'elles promettent n'étaient suffisants pour me convier à les apprendre : car je ne me sentais point, grâces à Dieu, de condition qui m'obligeât à faire un métier de la science, pour le soulagement de ma fortune ; et quoique je ne fisse pas profession de mépriser la gloire en cynique, je faisais néanmoins fort peu d'état de celle que je n'espérais point pouvoir acquérir qu'à faux titres. Et enfin, pour les mauvaises doctrines, je pensais déjà connaître assez ce qu'elles valaient pour n'être plus sujet à être trompé ni par les promesses d'un alchimiste, ni par les prédictions d'un astrologue, ni par les impostures d'un magicien, ni par les artifices ou la vanterie d'aucun de ceux qui font profession de savoir plus qu'ils ne savent.

C'est pourquoi, sitôt que l'âge me permit de sortir de la sujétion de mes précepteurs, je quittai entièrement l'étude des lettres. Et me résolvant de ne chercher plus d'autre science que celle qui se pourrait trouver en moi-même, ou bien dans le grand livre du monde, j'employai le reste de ma jeunesse à voyager, à voir des cours et des armées, à fréquenter des gens de diverses humeurs et conditions, à recueillir diverses expériences, à m'éprouver moi-même dans les rencontres que la fortune me proposait, et partout à faire telle réflexion sur les choses qui se présentaient que j'en pusse tirer quelque profit. Car il me semblait que je pourrais rencontrer beaucoup plus de vérité dans les raisonnements que chacun fait touchant les affaires qui lui importent, et dont l'événement le doit punir bientôt après s'il a mal jugé, que dans ceux que fait un homme de lettres dans son cabinet touchant des spéculations qui ne produisent aucun effet, et qui ne lui sont d'autre conséquence sinon que peut-être il en tirera d'autant plus de vanité qu'elles seront plus éloignées du sens commun, à cause qu'il aura dû employer d'autant plus d'esprit et d'artifice à tâcher de les rendre vraisemblables. Et j'avais toujours un extrême désir d'apprendre à distinguer le vrai d'avec le faux, pour voir clair en mes actions, et marcher avec assurance en cette vie.

Il est vrai que, pendant que je ne faisais que considérer les mœurs des autres hommes, je n'y trouvais guère de quoi m'assurer, et que j'y remarquais quasi autant de diversité que j'avais

fait auparavant entre les opinions des philosophes. En sorte que le plus grand profit que
j'en retirais était que, voyant plusieurs choses
qui, bien qu'elles nous semblent fort extravagantes et ridicules, ne laissent pas d'être communément reçues et approuvées par d'autres
grands peuples, j'apprenais à ne rien croire trop
fermement de ce qui ne m'avait été persuadé
que par l'exemple et par la coutume : et ainsi je
me délivrais peu à peu de beaucoup d'erreurs
qui peuvent offusquer notre lumière naturelle,
et nous rendre moins capables d'entendre raison. Mais après que j'eus employé quelques
années à étudier ainsi dans le livre du monde et
à tâcher d'acquérir quelque expérience, je pris
un jour résolution d'étudier aussi en moi-
même, et d'employer toutes les forces de mon
esprit à choisir les chemins que je devais suivre.
Ce qui me réussit beaucoup mieux, ce me
semble, que si je ne me fusse jamais éloigné ni
de mon pays ni de mes livres.

SECONDE PARTIE

J'étais alors en Allemagne où l'occasion des guerres qui n'y sont pas encore finies m'avait appelé, et comme je retournais du couronnement de l'Empereur vers l'armée, le commencement de l'hiver m'arrêta en un quartier où, ne trouvant aucune conversation qui me divertît, et n'ayant d'ailleurs par bonheur aucuns soins ni passions qui me troublassent, je demeurais tout le jour enfermé seul dans un poêle, où j'avais tout loisir de m'entretenir de mes pensées. Entre lesquelles l'une des premières fut que je m'avisai de considérer que souvent il n'y a pas tant de perfection dans les ouvrages composés de plusieurs pièces, et faits de la main de divers maîtres, qu'en ceux auxquels un seul a travaillé. Ainsi voit-on que les bâtiments qu'un seul architecte a entrepris et achevés ont coutume d'être plus beaux et mieux ordonnés que ceux que plusieurs ont tâché de raccommoder, en faisant servir de vieilles murailles qui avaient été bâties à d'autres fins. Ainsi ces anciennes cités qui, n'ayant été au commencement que des bourgades, sont devenues par

succession de temps de grandes villes, sont
ordinairement si mal compassées, au prix de
ces places régulières qu'un ingénieur trace à sa
fantaisie dans une plaine, qu'encore que, considérant leurs édifices chacun à part, on y trouve
souvent autant ou plus d'art qu'en ceux des
autres, toutefois, à voir comme ils sont arran-
gés, ici un grand, là un petit, et comme ils
rendent les rues courbées et inégales, on dirait
que c'est plutôt la fortune que la volonté de
quelques hommes usant de raison qui les a
ainsi disposés. Et si on considère qu'il y a eu
néanmoins de tout temps quelques officiers qui
ont eu charge de prendre garde aux bâtiments
des particuliers pour les faire servir à l'ornement du public, on connaîtra bien qu'il est
malaisé, en ne travaillant que sur les ouvrages
d'autrui, de faire des choses fort accomplies.
Ainsi je m'imaginai que les peuples qui, ayant
été autrefois demi-sauvages et ne s'étant civili-
sés que peu à peu, n'ont fait leurs lois qu'à
mesure que l'incommodité des crimes et des
querelles les y a contraints, ne sauraient être si
bien policés que ceux qui, dès le commencement qu'ils se sont assemblés, ont observé les
constitutions de quelque prudent législateur.
Comme il est bien certain que l'état de la vraie
religion, dont Dieu seul a fait les ordonnances,
doit être incomparablement mieux réglé que
tous les autres. Et pour parler des choses
humaines, je crois que si Sparte a été autrefois
très florissante, ce n'a pas été à cause de la
bonté de chacune de ses lois en particulier, vu
que plusieurs étaient fort étranges, et même
contraires aux bonnes mœurs, mais à cause

que, n'ayant été inventées que par un seul, elles
tendaient toutes à même fin. Et ainsi je pensai
que les sciences des livres, au moins celles dont
les raisons ne sont que probables, et qui n'ont
aucunes démonstrations, s'étant composées et
grossies peu à peu des opinions de plusieurs
diverses personnes, ne sont point si appro-
chantes de la vérité que les simples raisonnements que peut faire naturellement un homme
de bon sens touchant les choses qui se présentent. Et ainsi encore je pensai que, pour ce
que nous avons tous été enfants avant que
d'être hommes, et qu'il nous a fallu longtemps
être gouvernés par nos appétits et nos précepteurs, qui étaient souvent contraires les uns aux
autres, et qui ni les uns ni les autres ne nous
conseillaient peut-être pas toujours le meilleur,
il est presque impossible que nos jugements
soient si purs ni si solides qu'ils auraient été si
nous avions eu l'usage entier de notre raison
dès le point de notre naissance, et que nous
n'eussions jamais été conduits que par elle.

Il est vrai que nous ne voyons point qu'on
jette par terre toutes les maisons d'une ville,
pour le seul dessein de les refaire d'autre façon,
et d'en rendre les rues plus belles; mais on voit
bien que plusieurs font abattre les leurs pour
les rebâtir, et que même quelquefois ils y sont
contraints, quand elles sont en danger de tomber d'elles-mêmes, et que les fondements n'en
sont pas bien fermes. A l'exemple de quoi je me
persuadai qu'il n'y aurait véritablement point
d'apparence qu'un particulier fit dessein de
réformer un État en y changeant tout dès les
fondements, et en le renversant pour le redres-

ser, ni même aussi de réformer le corps des
sciences, ou l'ordre établi dans les écoles pour
les enseigner; mais que, pour toutes les opinions que j'avais reçues jusques alors en ma
créance, je ne pouvais mieux faire que d'entreprendre une bonne fois de les en ôter, afin d'y
en remettre par après ou d'autres meilleures ou
bien les mêmes, lorsque je les aurais ajustées
au niveau de la raison. Et je crus fermement
que par ce moyen je réussirais à conduire ma
vie beaucoup mieux que si je ne bâtissais que
sur de vieux fondements, et que je ne
m'appuyasse que sur les principes que je
m'étais laissé persuader en ma jeunesse sans
avoir jamais examiné s'ils étaient vrais. Car
bien que je remarquasse en ceci diverses difficultés, elles n'étaient point toutefois sans
remède, ni comparables à celles qui se trouvent
en la réformation des moindres choses qui
touchent le public. Ces grands corps sont trop
malaisés à relever étant abattus, ou même à
retenir étant ébranlés, et leurs chutes ne
peuvent être que très rudes. Puis pour leurs
imperfections, s'ils en ont, comme la seule
diversité qui est entre eux suffit pour assurer
que plusieurs en ont, l'usage les a sans doute
fort adoucies, et même il en a évité ou corrigé
insensiblement quantité auxquelles on ne pourrait si bien pourvoir par prudence. Et enfin
elles sont quasi toujours plus supportables que
ne serait leur changement. En même façon que
les grands chemins qui tournoient entre des
montagnes deviennent peu à peu si unis et si
commodes, à force d'être fréquentés, qu'il est
beaucoup meilleur de les suivre que d'entre-

prendre d'aller plus droit, en grimpant au-dessus des rochers, et descendant jusques au bas des précipices.

C'est pourquoi je ne saurais aucunement approuver ces humeurs brouillonnes et inquiètes qui, n'étant appelées ni par leur naissance ni par leur fortune au maniement des affaires publiques, ne laissent pas d'y faire toujours en idée quelque nouvelle réformation. Et si je pensais qu'il y eût la moindre chose en cet écrit par laquelle on me pût soupçonner de cette folie, je serais très marri de souffrir qu'il fût publié. Jamais mon dessein ne s'est étendu plus avant que de tâcher à réformer mes propres pensées, et de bâtir dans un fonds qui est tout à moi. Que si, mon ouvrage m'ayant assez plu, je vous en fais voir ici le modèle, ce n'est pas pour cela que je veuille conseiller à personne de l'imiter ; ceux que Dieu a mieux partagés de ses grâces auront peut-être des desseins plus relevés, mais je crains bien que celui-ci ne soit déjà que trop hardi pour plusieurs. La seule résolution de se défaire de toutes les opinions qu'on a reçues auparavant en sa créance n'est pas un exemple que chacun doive suivre ; et le monde n'est quasi composé que de deux sortes d'esprits auxquels il ne convient aucunement. A savoir de ceux qui, se croyant plus habiles qu'ils ne sont, ne se peuvent empêcher de précipiter leurs jugements, ni avoir assez de patience pour conduire par ordre toutes leurs pensées : d'où vient que s'ils avaient une fois pris la liberté de douter des principes qu'ils ont reçus, et de s'écarter du chemin commun, jamais ils ne pourraient tenir

le sentier qu'il faut prendre pour aller plus
droit, et demeureraient égarés toute leur vie.
Puis de ceux qui, ayant assez de raison, ou de
modestie, pour juger qu'ils sont moins capables
de distinguer le vrai d'avec le faux que quelques
autres par lesquels ils peuvent être instruits,
doivent bien plutôt se contenter de suivre les
opinions de ces autres qu'en chercher eux-
mêmes de meilleures.

Et pour moi j'aurais été sans doute du
nombre de ces derniers si je n'avais jamais eu
qu'un seul maître, ou que je n'eusse point su les
différences qui ont été de tout temps entre les
opinions des plus doctes. Mais ayant appris dès
le collège qu'on ne saurait rien imaginer de si
étrange et si peu croyable qu'il n'ait été dit par
quelqu'un des philosophes; et depuis, en voya-
geant, ayant reconnu que tous ceux qui ont des
sentiments fort contraires aux nôtres ne sont
pas pour cela barbares ni sauvages, mais que
plusieurs usent autant ou plus que nous de raison; et ayant considéré combien un même
homme, avec son même esprit, étant nourri dès
son enfance entre des Français ou des Alle-
mands, devient différent de ce qu'il serait s'il
avait toujours vécu entre des Chinois ou des
Cannibales; et comment, jusques aux modes de
nos habits, la même chose qui nous a plu il y a
dix ans, et qui nous plaira peut-être encore
avant dix ans, nous semble maintenant extravagante et ridicule, en sorte que c'est bien plus
la coutume et l'exemple qui nous persuadent
qu'aucune connaissance certaine; et que néanmoins la pluralité des voix n'est pas une preuve
qui vaille rien, pour les vérités un peu malaisées

à découvrir, à cause qu'il est bien plus vraisemblable qu'un homme seul les ait rencontrées que tout un peuple : je ne pouvais choisir personne dont les opinions me semblassent devoir être préférées à celles des autres, et je me trouvai comme contraint d'entreprendre moi-même de me conduire.

Mais, comme un homme qui marche seul et dans les ténèbres, je me résolus d'aller si lentement et d'user de tant de circonspection en toutes choses que, si je n'avançais que fort peu, je me garderais bien, au moins, de tomber. Même je ne voulus point commencer à rejeter tout à fait aucune des opinions qui s'étaient pu glisser autrefois en ma créance sans y avoir été introduites par la raison, que je n'eusse auparavant employé assez de temps à faire le projet de l'ouvrage que j'entreprenais, et à chercher la vraie méthode pour parvenir à la connaissance de toutes les choses dont mon esprit serait capable.

J'avais un peu étudié, étant plus jeune, entre les parties de la philosophie à la logique et entre les mathématiques à l'analyse des géomètres et à l'algèbre, trois arts ou sciences qui semblaient devoir contribuer quelque chose à mon dessein. Mais en les examinant je pris garde que, pour la logique, ses syllogismes et la plupart de ses autres instructions servent plutôt à expliquer à autrui les choses qu'on sait, ou même, comme l'art de Lulle, à parler sans jugement de celles qu'on ignore, qu'à les apprendre. Et bien qu'elle contienne en effet beaucoup de préceptes très vrais et très bons, il y en a toutefois tant d'autres mêlés parmi, qui sont ou nui-

sibles ou superflus, qu'il est presque aussi
malaisé de les en séparer que de tirer une Diane
ou une Minerve hors d'un bloc de marbre qui
n'est point encore ébauché. Puis, pour l'analyse
des anciens et l'algèbre des modernes, outre
qu'elles ne s'étendent qu'à des matières fort
abstraites, et qui ne semblent d'aucun usage, la
première est toujours si astreinte à la considération des figures qu'elle ne peut exercer
l'entendement sans fatiguer beaucoup l'imagination; et on s'est tellement assujetti en la dernière à certaines règles et à certains chiffres
qu'on en a fait un art confus et obscur qui
embarrasse l'esprit, au lieu d'une science qui le
cultive. Ce qui fut cause que je pensai qu'il fallait chercher quelque autre méthode qui,
comprenant les avantages de ces trois, fût
exempte de leurs défauts. Et comme la multitude des lois fournit souvent des excuses aux
vices, en sorte qu'un État est bien mieux réglé
lorsque, n'en ayant que fort peu, elles y sont
fort étroitement observées, ainsi, au lieu de ce
grand nombre de préceptes dont la logique est
composée, je crus que j'aurais assez des quatre
suivants, pourvu que je prisse une ferme et
constante résolution de ne manquer pas une
seule fois à les observer.

Le premier était de ne recevoir jamais
aucune chose pour vraie que je ne la connusse
évidemment être telle : c'est-à-dire d'éviter soigneusement la précipitation et la prévention et
de ne comprendre rien de plus en mes jugements que ce qui se présenterait si clairement
et si distinctement à mon esprit que je n'eusse
aucune occasion de le mettre en doute.

Le second, de diviser chacune des difficultés que j'examinerais en autant de parcelles qu'il se pourrait, et qu'il serait requis pour les mieux résoudre.

Le troisième, de conduire par ordre mes pensées, en commençant par les objets les plus simples et les plus aisés à connaître, pour monter peu à peu comme par degrés jusques à la connaissance des plus composés : et supposant même de l'ordre entre ceux qui ne se précèdent point naturellement les uns les autres.

Et le dernier, de faire partout des dénombrements si entiers et des revues si générales que je fusse assuré de ne rien omettre.

Ces longues chaînes de raisons toutes simples et faciles, dont les géomètres ont coutume de se servir pour parvenir à leurs plus difficiles démonstrations, m'avaient donné occasion de m'imaginer que toutes les choses qui peuvent tomber sous la connaissance des hommes s'entresuivent en même façon, et que, pourvu seulement qu'on s'abstienne d'en recevoir aucune pour vraie qui ne le soit, et qu'on garde toujours l'ordre qu'il faut pour les déduire les unes des autres, il n'y en peut avoir de si éloignées auxquelles enfin on ne parvienne, ni de si cachées qu'on ne découvre. Et je ne fus pas beaucoup en peine de chercher par lesquelles il était besoin de commencer : car je savais déjà que c'était par les plus simples et les plus aisées à connaître ; et considérant qu'entre tous ceux qui ont ci-devant recherché la vérité dans les sciences, il n'y a eu que les seuls mathématiciens qui ont pu trouver quelques démonstrations, c'est-à-dire quelques raisons

certaines et évidentes, je ne doutais point que
ce ne fût par les mêmes qu'ils ont examinées;
bien que je n'en espérasse aucune autre utilité,
sinon qu'elles accoutumeraient mon esprit à se
repaître de vérités, et ne se contenter point de
fausses raisons. Mais je n'eus pas dessein pour
cela de tâcher d'apprendre toutes ces sciences
particulières qu'on nomme communément
mathématiques : et voyant qu'encore que leurs
objets soient différents, elles ne laissent pas de
s'accorder toutes, en ce qu'elles n'y considèrent
autre chose que les divers rapports ou propor-
tions qui s'y trouvent, je pensai qu'il valait
mieux que j'examinasse seulement ces propor-
tions en général, et sans les supposer que dans
les sujets qui serviraient à m'en rendre la
connaissance plus aisée; même aussi sans les y
astreindre aucunement, afin de les pouvoir
d'autant mieux appliquer après à tous les
autres auxquels elles conviendraient. Puis
ayant pris garde que, pour les connaître,
j'aurais quelquefois besoin de les considérer
chacune en particulier, et quelquefois seulement de les retenir, ou de les comprendre plusieurs ensemble, je pensai que, pour les considérer mieux en particulier, je les devais
supposer en des lignes, à cause que je ne trouvais rien de plus simple, ni que je pusse plus
distinctement représenter à mon imagination
et à mes sens; mais que, pour les retenir, ou les
comprendre plusieurs ensemble, il fallait que je
les expliquasse par quelques chiffres les plus
courts qu'il serait possible; et que par ce moyen
j'emprunterais tout le meilleur de l'analyse géo-

métrique et de l'algèbre, et corrigerais tous les défauts de l'une par l'autre.

Comme en effet j'ose dire que l'exacte observation de ce peu de préceptes que j'avais choisis me donna telle facilité à démêler toutes les questions auxquelles ces deux sciences s'étendent, qu'en deux ou trois mois que j'employai à les examiner, ayant commencé par les plus simples et plus générales, et chaque vérité que je trouvais étant une règle qui me servait après à en trouver d'autres, non seulement je vins à bout de plusieurs que j'avais jugées autrefois très difficiles, mais il me sembla aussi vers la fin que je pouvais déterminer, en celles même que j'ignorais, par quels moyens, et jusques où, il était possible de les résoudre. En quoi je ne vous paraîtrai peut-être pas être fort vain, si vous considérez que, n'y ayant qu'une vérité de chaque chose, quiconque la trouve en sait autant qu'on en peut savoir : et que par exemple un enfant instruit en l'arithmétique, ayant fait une addition suivant ses règles, se peut assurer d'avoir trouvé, touchant la somme qu'il examinait, tout ce que l'esprit humain saurait trouver. Car enfin la méthode qui enseigne à suivre le vrai ordre, et à dénombrer exactement toutes les circonstances de ce qu'on cherche, contient tout ce qui donne de la certitude aux règles d'arithmétique.

Mais ce qui me contentait le plus de cette méthode était que par elle j'étais assuré d'user en tout de ma raison, sinon parfaitement, au moins le mieux qui fût en mon pouvoir; outre que je sentais en la pratiquant que mon esprit s'accoutumait peu à peu à concevoir plus nettement et plus distinctement ses objets, et que, ne l'ayant point assujettie à aucune matière particulière, je me promettais de l'appliquer aussi utilement aux difficultés des autres sciences que j'avais fait à celles de l'algèbre. Non que pour cela j'osasse entreprendre d'abord d'examiner toutes celles qui se présenteraient. Car cela même eût été contraire à l'ordre qu'elle prescrit : mais ayant pris garde que leurs principes devaient tous être empruntés de la philosophie, en laquelle je n'en trouvais point encore de certains, je pensai qu'il fallait avant tout que je tâchasse d'y en établir; et que, cela étant la chose du monde la plus importante, et où la précipitation et la prévention étaient le plus à craindre, je ne devais point entreprendre d'en venir à bout que je n'eusse atteint un âge bien plus mûr que celui de vingt-trois ans que j'avais alors et que je n'eusse auparavant employé beaucoup de temps à m'y préparer, tant en déracinant de mon esprit toutes les mauvaises opinions que j'y avais reçues avant ce temps-là, qu'en faisant amas de plusieurs expériences, pour être après la matière de mes raisonnements, et en m'exerçant toujours en la méthode que je m'étais prescrite, afin de m'y affermir de plus en plus.

TROISIÈME PARTIE

Et enfin comme ce n'est pas assez, avant de commencer à rebâtir le logis où on demeure, que de l'abattre, et de faire provision de matériaux et d'architectes, ou s'exercer soi-même à l'architecture, et outre cela d'en avoir soigneusement tracé le dessin, mais qu'il faut aussi s'être pourvu de quelque autre où on puisse être logé commodément pendant le temps qu'on y travaillera : ainsi, afin que je ne demeurasse point irrésolu en mes actions pendant que la raison m'obligerait de l'être en mes jugements, et que je ne laissasse pas de vivre dès lors le plus heureusement que je pourrais, je me formai une morale par provision qui ne consistait qu'en trois ou quatre maximes, dont je veux bien vous faire part.

La première était d'obéir aux lois et aux coutumes de mon pays, retenant constamment la religion en laquelle Dieu m'a fait la grâce d'être instruit dès mon enfance, et me gouvernant en toute autre chose suivant les opinions les plus modérées et les plus éloignées de l'excès qui fussent communément reçues en pratique par les mieux sensés de ceux avec lesquels j'aurais à vivre. Car commençant dès lors à ne compter pour rien les miennes propres, à cause que je les voulais remettre toutes à l'examen, j'étais assuré de ne pouvoir mieux que de suivre celles des mieux sensés. Et encore qu'il y en ait peut-être d'aussi bien sensés parmi les Perses ou les Chinois que parmi nous, il me semblait que le plus utile était de me régler selon ceux avec lesquels j'aurais à vivre; et que pour savoir quelles étaient véritablement leurs opinions, je devais plutôt prendre garde à ce qu'ils pratiquaient qu'à ce qu'ils disaient, non seulement à cause qu'en la corruption de nos mœurs il y a peu de gens qui veuillent dire tout ce qu'ils croient, mais aussi à cause que plusieurs l'ignorent eux-mêmes, car, l'action de la pensée par laquelle on croit une chose étant différente de celle par laquelle on connaît qu'on la croit, elles sont souvent l'une sans l'autre. Et, entre plusieurs opinions également reçues, je ne choisissais que les plus modérées, tant à cause que ce sont toujours les plus commodes pour la pratique, et vraisemblablement les meilleures, tous excès ayant coutume d'être mauvais, comme aussi afin de me détourner moins du vrai chemin, en cas que je faillisse, que si, ayant choisi l'un des extrêmes, c'eût été l'autre qu'il eût fallu suivre. Et particulièrement je mettais entre les excès toutes les promesses par lesquelles on retranche quelque chose de sa liberté. Non que je désapprouvasse les lois qui, pour remédier à l'inconstance des esprits faibles, permettent, lorsqu'on a quelque bon dessein, ou même, pour la sûreté du commerce, quelque dessein qui n'est qu'indifférent, qu'on fasse des vœux ou des contrats qui obligent à y persévérer. Mais à cause que je ne voyais au monde aucune chose qui demeurât toujours en même état, et que pour mon particulier je me promettais de perfectionner de plus en plus mes jugements, et non point de les rendre pires, j'eusse pensé commettre une grande faute contre le bon sens si, pource que j'approuvais alors quelque chose, je me fusse obligé de la prendre pour bonne encore après, lorsqu'elle aurait peut-être cessé de l'être, ou que j'aurais cessé de l'estimer telle.

Ma seconde maxime était d'être le plus ferme et le plus résolu en mes actions que je pourrais, et de ne suivre pas moins constamment les opinions les plus douteuses, lorsque je m'y serais une fois déterminé, que si elles eussent été très assurées. Imitant en ceci les voyageurs qui, se trouvant égarés en quelque forêt, ne doivent pas errer en tournoyant tantôt d'un côté tantôt d'un autre, ni encore moins s'arrêter en une place, mais marcher toujours le plus droit qu'ils peuvent vers un même côté, et ne le changer point pour de faibles raisons, encore que ce n'ait peut-être été au commencement que le hasard seul qui les ait déterminés à le choisir : car par ce moyen, s'ils ne vont justement où ils désirent, ils arriveront au moins à la fin quelque part où vraisemblablement ils seront mieux que dans le milieu d'une forêt. Et ainsi, les actions de la vie ne souffrant souvent aucun délai, c'est une vérité très certaine que, lorsqu'il n'est pas en notre pouvoir de discerner les plus vraies opinions, nous devons suivre les plus probables, et même qu'encore que nous ne remarquions point davantage de probabilité aux unes qu'aux autres, nous devons néanmoins nous déterminer à quelques-unes, et les considérer après non plus comme douteuses, en tant qu'elles se rapportent à la pratique, mais comme très vraies et très certaines, à cause que la raison qui nous y a fait déterminer se trouve telle. Et ceci fut capable dès lors de me délivrer de tous les repentirs et les remords qui ont coutume d'agiter les consciences de ces esprits faibles et chancelants qui se laissent aller inconstamment à pratiquer comme bonnes les choses qu'ils jugent après être mauvaises.

Ma troisième maxime était de tâcher toujours plutôt à me vaincre que la fortune, et à changer mes désirs que l'ordre du monde : et généralement de m'accoutumer à croire qu'il n'y a rien qui soit entièrement en notre pouvoir que nos pensées, en sorte qu'après que nous avons fait notre mieux touchant les choses qui nous sont extérieures, tout ce qui manque de nous réussir est au regard de nous absolument impossible. Et ceci seul me semblait être suffisant pour m'empêcher de rien désirer à l'avenir que je n'acquisse, et ainsi pour me rendre content : car, notre volonté ne se portant naturellement à désirer que les choses que notre entendement lui représente en quelque façon comme possibles, il est certain que si nous considérons tous les biens qui sont hors de nous comme également éloignés de notre pouvoir, nous n'aurons pas plus de regrets de manquer de ceux qui semblent être dus à notre naissance, lorsque nous en serons privés sans notre faute, que nous avons de ne posséder pas les royaumes de la Chine ou du Mexique ; et que faisant, comme on dit, de nécessité vertu, nous ne désirerons pas davantage d'être sains étant malades, ou d'être libres étant en prison, que nous faisons maintenant d'avoir des corps d'une matière aussi peu corruptible que les diamants, ou des ailes pour voler comme les oiseaux. Mais j'avoue qu'il est besoin d'un long exercice, et d'une méditation souvent réitérée, pour s'accoutumer à regarder de ce biais toutes les choses : et je crois que c'est principalement en ceci que consistait le secret de ces philosophes qui ont pu autrefois se soustraire de l'empire de la fortune, et, malgré les douleurs et la pauvreté, disputer de la félicité avec leurs dieux. Car s'occupant sans cesse à considérer les bornes qui leur étaient prescrites par la nature, ils se persuadaient si parfaitement que rien n'était en leur pouvoir que leurs pensées, que cela seul était suffisant pour les empêcher d'avoir aucune affection pour d'autres choses ; et ils disposaient d'elles si absolument qu'ils avaient en cela quelque raison de s'estimer plus riches, et plus puissants, et plus libres, et plus heureux qu'aucun des autres hommes, qui, n'ayant point cette philosophie, tant favorisés de la nature et de la fortune qu'ils puissent être, ne disposent jamais ainsi de tout ce qu'ils veulent.

Enfin pour conclusion de cette morale je m'avisai de faire une revue sur les diverses occupations qu'ont les hommes en cette vie, pour tâcher à faire choix de la meilleure, et sans que je veuille rien dire de celles des autres,

je pensai que je ne pouvais mieux que de continuer en celle-là même où je me trouvais, c'est-
à-dire que d'employer toute ma vie à cultiver
ma raison, et m'avancer autant que je pourrais
en la connaissance de la vérité suivant la
méthode que je m'étais prescrite. J'avais
éprouvé de si extrêmes contentements depuis
que j'avais commencé à me servir de cette
méthode que je ne croyais pas qu'on en pût
recevoir de plus doux, ni de plus innocents, en
cette vie : et découvrant tous les jours par son
moyen quelques vérités qui me semblaient
assez importantes, et communément ignorées
des autres hommes, la satisfaction que j'en
avais remplissait tellement mon esprit que tout
le reste ne me touchait point. Outre que les
trois maximes précédentes n'étaient fondées
que sur le dessein que j'avais de continuer à
m'instruire : car Dieu nous ayant donné à chacun quelque lumière pour discerner le vrai
d'avec le faux, je n'eusse pas cru me devoir
contenter des opinions d'autrui un seul
moment si je ne me fusse proposé d'employer
mon propre jugement à les examiner lorsqu'il
serait temps ; et je n'eusse su m'exempter de
scrupule en les suivant si je n'eusse espéré de
ne perdre pour cela aucune occasion d'en trouver de meilleures, en cas qu'il y en eût. Et enfin
je n'eusse su borner mes désirs ni être content
si je n'eusse suivi un chemin par lequel, pensant être assuré de l'acquisition de toutes les
connaissances dont je serais capable, je le pensais être par même moyen de celle de tous les
vrais biens qui seraient jamais en mon pouvoir : d'autant que, notre volonté ne se portant

à suivre ni à fuir aucune chose que selon que notre entendement [la] lui représente bonne ou mauvaise, il suffit de bien juger pour bien faire, et de juger le mieux qu'on puisse pour faire aussi tout son mieux, c'est-à-dire pour acquérir toutes les vertus et ensemble tous les autres biens qu'on puisse acquérir; et lorsqu'on est certain que cela est, on ne saurait manquer d'être content.

Après m'être ainsi assuré de ces maximes, et les avoir mises à part, avec les vérités de la foi, qui ont toujours été les premières en ma créance, je jugeai que, pour tout le reste de mes opinions, je pouvais librement entreprendre de m'en défaire. Et d'autant que j'espérais en pouvoir mieux venir à bout en conversant avec les hommes qu'en demeurant plus longtemps renfermé dans le poêle où j'avais eu toutes ces pensées, l'hiver n'était pas encore bien achevé que je me remis à voyager. Et en toutes les neuf années suivantes je ne fis autre chose que rouler çà et là dans le monde, tâchant d'y être spectateur plutôt qu'acteur en toutes les comédies qui s'y jouent; et faisant particulièrement réflexion en chaque matière sur ce qui la pouvait rendre suspecte, et nous donner occasion de nous méprendre, je déracinais cependant de mon esprit toutes les erreurs qui s'y étaient pu glisser auparavant. Non que j'imitasse pour cela les sceptiques, qui ne doutent que pour douter, et affectent d'être toujours irrésolus : car au contraire tout mon dessein ne tendait qu'à m'assurer et à rejeter la terre mouvante et le sable pour trouver le roc ou l'argile. Ce qui me réussissait, ce me semble, assez bien, d'autant que, tâchant à découvrir la fausseté ou l'incertitude des propositions que j'examinais, non par de faibles conjectures, mais par des raisonnements clairs et assurés, je n'en rencontrais point de si douteuses que je n'en tirasse toujours quelque conclusion assez certaine, quand ce n'eût été que cela même qu'elle ne contenait rien de certain. Et comme en abattant un vieux logis on en réserve ordinairement les démolitions, pour servir à en bâtir un nouveau, ainsi, en détruisant toutes celles de mes opinions que je jugeais être mal fondées, je faisais diverses observations et acquérais plusieurs expériences qui m'ont servi depuis à en établir de plus certaines. Et de plus je continuais à m'exercer en la méthode que je m'étais prescrite. Car outre que j'avais soin de conduire généralement toutes mes pensées selon ses règles, je me réservais de temps en temps quelques heures que j'employais particulièrement à la pratiquer en des difficultés de mathématique, ou même aussi en quelques autres que je pouvais rendre quasi semblables à celles des mathématiques, en les détachant de tous les principes des autres sciences que je ne trouvais pas assez fermes, comme vous verrez que j'ai fait en plusieurs qui sont expliquées en ce volume. Et ainsi, sans vivre d'autre façon en apparence que ceux qui, n'ayant aucun emploi qu'à passer une vie douce et innocente, s'étudient à séparer les plaisirs des vices, et qui pour jouir de leur loisir sans s'ennuyer usent de tous les divertissements qui sont honnêtes, je ne laissais pas de poursuivre en mon dessein, et de profiter en la connaissance de la vérité peut-être plus que si je n'eusse fait que lire des livres, ou fréquenter des gens de lettres.

Toutefois ces neuf ans s'écoulèrent avant que j'eusse encore pris aucun parti touchant les difficultés qui ont coutume d'être disputées entre les doctes, ni commencé à chercher les fondements d'aucune philosophie plus certaine que la vulgaire. Et l'exemple de plusieurs excellents esprits qui, en ayant eu ci-devant le dessein, me semblaient n'y avoir pas réussi m'y faisait imaginer tant de difficulté que je n'eusse peut-être pas encore si tôt osé l'entreprendre si je n'eusse vu que quelques-uns faisaient déjà courre le bruit que j'en étais venu à bout. Je ne saurais pas dire sur quoi ils fondaient cette opinion; et si j'y ai contribué quelque chose par mes discours, ce doit avoir été en confessant plus ingénument ce que j'ignorais que n'ont coutume de faire ceux qui ont un peu étudié, et peut-être aussi en faisant voir les raisons que j'avais de douter de beaucoup de choses que les autres estiment certaines, plutôt qu'en me vantant d'aucune doctrine. Mais ayant le cœur assez bon pour ne vouloir point qu'on me prît pour autre que je n'étais, je pensai qu'il fallait que je tâchasse par tous moyens à me rendre digne de la réputation qu'on me donnait; et il y a justement huit ans que ce désir me fit résoudre à m'éloigner de tous les lieux où je pouvais avoir des connaissances, et à me retirer ici en un pays où la longue durée de la guerre a fait établir de tels ordres que les armées qu'on y entretient ne semblent servir qu'à faire qu'on y jouisse des fruits de la paix avec d'autant plus de sûreté et où parmi la foule d'un grand peuple fort actif, et plus soigneux de ses propres affaires que curieux de celles d'autrui, sans manquer d'aucune des commodités qui sont dans les villes les plus fréquentées, j'ai pu vivre aussi solitaire et retiré que dans les déserts les plus écartés.

QUATRIÈME PARTIE

Je ne sais si je dois vous entretenir des premières méditations que j'y ai faites, car elles
sont si métaphysiques et si peu communes
qu'elles ne seront peut-être pas au goût de tout
le monde : et toutefois, afin qu'on puisse juger
si les fondements que j'ai pris sont assez
fermes, je me trouve en quelque façon
contraint d'en parler. J'avais dès longtemps
remarqué que pour les mœurs il est besoin
quelquefois de suivre des opinions qu'on sait
être fort incertaines, tout de même que si elles
étaient indubitables, ainsi qu'il a été dit ci-dessus : mais pource qu'alors je désirais vaquer
seulement à la recherche de la vérité, je pensai
qu'il fallait que je fisse tout le contraire, et que
je rejetasse comme absolument faux tout ce en
quoi je pourrais imaginer le moindre doute,
afin de voir s'il ne resterait point après cela
quelque chose en ma créance qui fût entièrement indubitable. Ainsi, à cause que nos sens
nous trompent quelquefois, je voulus supposer
qu'il n'y avait aucune chose qui fût telle qu'ils
nous la font imaginer ; et pource qu'il y a des

hommes qui se méprennent en raisonnant, même touchant les plus simples matières de géométrie, et y font des paralogismes, jugeant que j'étais sujet à faillir autant qu'aucun autre, je rejetai comme fausses toutes les raisons que j'avais prises auparavant pour démonstrations ; et enfin, considérant que toutes les mêmes pensées que nous avons étant éveillés nous peuvent aussi venir quand nous dormons sans qu'il y en ait aucune pour lors qui soit vraie, je me résolus de feindre que toutes les choses qui m'étaient jamais entrées en l'esprit n'étaient non plus vraies que les illusions de mes songes. Mais aussitôt après je pris garde que, pendant que je voulais ainsi penser que tout était faux, il fallait nécessairement que moi, qui le pensais, fusse quelque chose : et remarquant que cette vérité, *je pense, donc je suis*, était si ferme et si assurée que toutes les plus extravagantes suppositions des sceptiques n'étaient pas capables de l'ébranler, je jugeai que je pouvais la recevoir sans scrupule pour le premier principe de la philosophie que je cherchais.

Puis, examinant avec attention ce que j'étais, et voyant que je pouvais feindre que je n'avais aucun corps et qu'il n'y avait aucun monde ni aucun lieu où je fusse, mais que je ne pouvais pas feindre pour cela que je n'étais point, et qu'au contraire, de cela même que je pensais à douter de la vérité des autres choses, il suivait très évidemment et très certainement que j'étais, au lieu que si j'eusse seulement cessé de penser, encore que tout le reste de ce que j'avais jamais imaginé eût été vrai, je n'avais aucune raison de croire que j'eusse été : je connus de là que j'étais une substance dont toute l'essence ou la nature n'est que de penser, et qui pour être n'a besoin d'aucun lieu ni ne dépend d'aucune chose matérielle, en sorte que ce moi, c'est-à-dire l'âme par laquelle je suis ce que je suis, est entièrement distincte du corps, et même qu'elle est plus aisée à connaître que lui, et qu'encore qu'il ne fût point elle ne laisserait pas d'être tout ce qu'elle est.

Après cela je considérai en général ce qui est requis à une proposition pour être vraie et certaine; car puisque je venais d'en trouver une que je savais être telle, je pensai que je devais aussi savoir en quoi consiste cette certitude. Et ayant remarqué qu'il n'y a rien du tout en ceci, *je pense donc je suis*, qui m'assure que je dis la vérité, sinon que je vois très clairement que pour penser il faut être, je jugeai que je pouvais prendre pour règle générale que les choses que nous concevons fort clairement et fort distinctement sont toutes vraies, mais qu'il y a seulement quelque difficulté à bien remarquer quelles sont celles que nous concevons distinctement.

En suite de quoi, faisant réflexion sur ce que je doutais, et que par conséquent mon être n'était pas tout parfait, car je voyais clairement que c'était une plus grande perfection de connaître que de douter, je m'avisai de chercher d'où j'avais appris à penser à quelque chose de plus parfait que je n'étais; et je connus évidemment que ce devait être de quelque nature qui fût en effet plus parfaite. Pour ce qui est des pensées que j'avais de plusieurs autres choses hors de moi, comme du ciel, de la terre,

de la lumière, de la chaleur, et de mille autres,
je n'étais point tant en peine de savoir d'où elles
venaient, à cause que, ne remarquant rien en
elles qui me semblât les rendre supérieures à
moi, je pouvais croire que, si elles étaient
vraies, c'étaient des dépendances de ma nature,
en tant qu'elle avait quelque perfection, et, si
elles ne l'étaient pas, que je les tenais du néant,
c'est-à-dire qu'elles étaient en moi pource que
j'avais du défaut. Mais ce ne pouvait être le
même de l'idée d'un être plus parfait que le
mien : car, de la tenir du néant, c'était chose
manifestement impossible ; et pource qu'il n'y a
pas moins de répugnance que le plus parfait
soit une suite et une dépendance du moins parfait qu'il y en a que de rien procède quelque
chose, je ne la pouvais tenir non plus de moi-
même ; de façon qu'il restait qu'elle eût été mise
en moi par une nature qui fût véritablement
plus parfaite que je n'étais, et même qui eût en
soi toutes les perfections dont je pouvais avoir
quelque idée, c'est-à-dire, pour m'expliquer en
un mot, qui fût Dieu. A quoi j'ajoutai que, puisque je connaissais quelques perfections que je
n'avais point, je n'étais pas le seul être qui exis-
tât (j'userai, s'il vous plaît, ici librement des
mots de l'École), mais qu'il fallait de nécessité
qu'il y en eût quelque autre plus parfait, duquel
je dépendisse, et duquel j'eusse acquis tout ce
que j'avais : car si j'eusse été seul et indépen-
dant de tout autre, en sorte que j'eusse eu de
moi-même tout ce peu que je participais de
l'être parfait, j'eusse pu avoir de moi par même
raison tout le surplus que je connaissais me
manquer, et ainsi être moi-même infini, éter-

nel, immuable, tout connaissant, tout-puissant, et enfin avoir toutes les perfections que je pouvais remarquer être en Dieu. Car, suivant les raisonnements que je viens de faire, pour connaître la nature de Dieu autant que la mienne en était capable, je n'avais qu'à considérer, de toutes les choses dont je trouvais en moi quelque idée, si c'était perfection ou non de les posséder, et j'étais assuré qu'aucune de celles qui marquaient quelque imperfection n'était en lui, mais que toutes les autres y étaient. Comme je voyais que le doute, l'inconstance, la tristesse, et choses semblables, n'y pouvaient être, vu que j'eusse été moi-même bien aise d'en être exempt. Puis outre cela j'avais des idées de plusieurs choses sensibles et corporelles : car quoique je supposasse que je rêvais, et que tout ce que je voyais ou imaginais était faux, je ne pouvais nier toutefois que les idées n'en fussent véritablement en ma pensée ; mais pource que j'avais déjà connu en moi très clairement que la nature intelligente est distincte de la corporelle, considérant que toute composition témoigne de la dépendance, et que la dépendance est manifestement un défaut, je jugeais de là que ce ne pouvait être une perfection en Dieu d'être composé de ces deux natures, et que par conséquent il ne l'était pas ; mais que s'il y avait quelques corps dans le monde, ou bien quelques intelligences ou autres natures qui ne fussent point toutes parfaites, leur être devait dépendre de sa puissance en telle sorte qu'elles ne pouvaient subsister sans lui un seul moment.

Je voulus chercher après cela d'autres vérités,

et, m'étant proposé l'objet des géomètres, que je concevais comme un corps continu, ou un espace indéfiniment étendu en longueur, largeur et hauteur ou profondeur, divisible en diverses parties, qui pouvaient avoir diverses figures et grandeurs et être mues ou transposées en toutes sortes, car les géomètres supposent tout cela en leur objet, je parcourus quelques-unes de leurs plus simples démonstrations ; et, ayant pris garde que cette grande certitude que tout le monde leur attribue n'est fondée que sur ce qu'on les conçoit évidemment, suivant la règle que j'ai tantôt dite, je pris garde aussi qu'il n'y avait rien du tout en elles qui m'assurât de l'existence de leur objet : car par exemple je voyais bien que, supposant un triangle, il fallait que ses trois angles fussent égaux à deux droits, mais je ne voyais rien pour cela qui m'assurât qu'il y eût au monde aucun triangle : au lieu que, revenant à examiner l'idée que j'avais d'un être parfait, je trouvais que l'existence y était comprise, en même façon qu'il est compris en celle d'un triangle que ses trois angles sont égaux à deux droits, ou en celle d'une sphère que toutes ses parties sont également distantes de son centre, ou même encore plus évidemment ; et que par conséquent il est pour le moins aussi certain que Dieu, qui est cet être parfait, est ou existe, qu'aucune démonstration de géométrie le saurait être.

Mais ce qui fait qu'il y en a plusieurs qui se persuadent qu'il y a de la difficulté à le connaître, et même aussi à connaître ce que c'est que leur âme, c'est qu'ils n'élèvent jamais leur esprit au-delà des choses sensibles, et qu'ils sont tellement accoutumés à ne rien considérer qu'en l'imaginant, qui est une façon de penser particulière pour les choses matérielles, que tout ce qui n'est pas imaginable leur semble n'être pas intelligible. Ce qui est assez manifeste de ce que même les philosophes tiennent pour maxime dans les écoles qu'il n'y a rien dans l'entendement qui n'ait premièrement été dans le sens, où toutefois il est certain que les idées de Dieu et de l'âme n'ont jamais été, et il me semble que ceux qui veulent user de leur imagination pour les comprendre font tout de même que si, pour ouïr les sons ou sentir les odeurs, ils se voulaient servir de leurs yeux : sinon qu'il y a encore cette différence, que le sens de la vue ne nous assure pas moins de la vérité de ses objets que font ceux de l'odorat ou de l'ouïe, au lieu que ni notre imagination ni nos sens ne nous sauraient jamais assurer d'aucune chose si notre entendement n'y intervient.

Enfin, s'il y a encore des hommes qui ne soient pas assez persuadés de l'existence de Dieu et de leur âme par les raisons que j'ai apportées, je veux bien qu'ils sachent que toutes les autres choses dont ils se pensent peut-être plus assurés, comme d'avoir un corps, et qu'il y a des astres, et une Terre, et choses semblables, sont moins certaines : car encore qu'on ait une assurance morale de ces choses, qui est telle qu'il semble qu'à moins que d'être extravagant on n'en peut douter, toutefois aussi, à moins que d'être déraisonnable, lorsqu'il est question d'une certitude métaphy-

sique, on ne peut nier que ce ne soit assez de
sujet pour n'en être pas entièrement assuré que
d'avoir pris garde qu'on peut en même façon
s'imaginer, étant endormi, qu'on a un autre
corps, et qu'on voit d'autres astres, et une autre
terre, sans qu'il en soit rien. Car d'où sait-on
que les pensées qui viennent en songe sont plutôt fausses que les autres, vu que souvent elles
ne sont pas moins vives et expresses ? Et que les
meilleurs esprits y étudient tant qu'il leur
plaira, je ne crois pas qu'ils puissent donner
aucune raison qui soit suffisante pour ôter ce
doute, s'ils ne présupposent l'existence de Dieu.
Car premièrement cela même que j'ai tantôt
pris pour une règle, à savoir que les choses que
nous concevons très clairement et très distinctement sont toutes vraies, n'est assuré qu'à
cause que Dieu est ou existe, et qu'il est un être
parfait, et que tout ce qui est en nous vient de
lui : d'où il suit que nos idées ou notions, étant
des choses réelles, et qui viennent de Dieu en
tout ce en quoi elles sont claires et distinctes,
ne peuvent en cela être que vraies. En sorte que
si nous en avons assez souvent qui contiennent
de la fausseté, ce ne peut être que de celles qui
ont quelque chose de confus et obscur, à cause
qu'en cela elles participent du néant, c'est-à-
dire qu'elles ne sont en nous ainsi confuses qu'à
cause que nous ne sommes pas tout parfaits. Et
il est évident qu'il n'y a pas moins de répugnance que la fausseté ou l'imperfection procède de Dieu en tant que telle, qu'il y en a que la
vérité ou la perfection procède du néant. Mais
si nous ne savions point que tout ce qui est en
nous de réel, et de vrai, vient d'un être parfait et

infini, pour claires et distinctes que fussent nos idées, nous n'aurions aucune raison qui nous assurât qu'elles eussent la perfection d'être vraies.

Or, après que la connaissance de Dieu et de l'âme nous a ainsi rendus certains de cette règle, il est bien aisé à connaître que les rêveries que nous imaginons étant endormis ne doivent aucunement nous faire douter de la vérité des pensées que nous avons étant éveillés. Car s'il arrivait même en dormant qu'on eût quelque idée fort distincte, comme par exemple qu'un géomètre inventât quelque nouvelle démonstration, son sommeil ne l'empêcherait pas d'être vraie. Et pour l'erreur la plus ordinaire de nos songes, qui consiste en ce qu'ils nous représentent divers objets en même façon que font nos sens extérieurs, il n'importe pas qu'elle nous donne occasion de nous défier de la vérité de telles idées, à cause qu'elles peuvent aussi nous tromper assez souvent sans que nous dormions : comme lorsque ceux qui ont la jaunisse voient tout de couleur jaune, ou que les astres ou autres corps fort éloignés nous paraissent beaucoup plus petits qu'ils ne sont. Car enfin, soit que nous veillions, soit que nous dormions, nous ne nous devons jamais laisser persuader qu'à l'évidence de notre raison. Et il est à remarquer que je dis : de notre raison, et non point : de notre imagination, ni : de nos sens. Comme, encore que nous voyions le soleil très clairement, nous ne devons pas juger pour cela qu'il ne soit que de la grandeur que nous le voyons; et nous pouvons bien imaginer distinctement une tête de lion entée sur le corps d'une chèvre, sans qu'il faille conclure pour cela qu'il y ait au monde une chimère : car la raison ne nous dicte point que ce que nous voyons ou imaginons ainsi soit véritable. Mais elle nous dicte bien que toutes nos idées ou notions doivent avoir quelque fondement de vérité, car il ne serait pas possible que Dieu, qui est tout parfait et tout véritable, les eût mises en nous sans cela ; et pource que nos raisonnements ne sont jamais si évidents ni si entiers pendant le sommeil que pendant la veille, bien que quelquefois nos imaginations soient alors autant ou plus vives et expresses, elle nous dicte aussi que, nos pensées ne pouvant être toutes vraies, à cause que nous ne sommes pas tout parfaits, ce qu'elles ont de vérité doit infailliblement se rencontrer en celles que nous avons étant éveillés plutôt qu'en nos songes.

CINQUIÈME PARTIE

Je serais bien aise de poursuivre et de faire voir ici toute la chaîne des autres vérités que j'ai déduites de ces premières : mais, à cause que, pour cet effet, il serait maintenant besoin que je parlasse de plusieurs questions qui sont en controverse entre les doctes, avec lesquels je ne désire point me brouiller, je crois qu'il sera mieux que je m'en abstienne, et que je dise seulement en général quelles elles sont, afin de laisser juger aux plus sages s'il serait utile que le public en fût plus particulièrement informé. Je suis toujours demeuré ferme en la résolution que j'avais prise de ne supposer aucun autre principe que celui dont je viens de me servir pour démontrer l'existence de Dieu et de l'âme, et de ne recevoir aucune chose pour vraie qui ne me semblât plus claire et plus certaine que n'avaient fait auparavant les démonstrations des géomètres : et néanmoins j'ose dire que non seulement j'ai trouvé moyen de me satisfaire en peu de temps touchant toutes les principales difficultés dont on a coutume de traiter en la philosophie, mais aussi que j'ai remarqué cer-

taines lois que Dieu a tellement établies en la
nature, et dont il a imprimé de telles notions en
nos âmes, qu'après y avoir fait assez de
réflexion nous ne saurions douter qu'elles ne
soient exactement observées en tout ce qui est
ou qui se fait dans le monde. Puis, en considérant la suite de ces lois, il me semble avoir
découvert plusieurs vérités plus utiles et plus
importantes que tout ce que j'avais appris
auparavant, ou même espéré d'apprendre.

Mais pour ce que j'ai tâché d'en expliquer les
principales dans un traité que quelques considérations m'empêchent de publier, je ne les
saurais mieux faire connaître qu'en disant ici
sommairement ce qu'il contient. J'ai eu dessein
d'y comprendre tout ce que je pensais savoir
avant que de l'écrire touchant la nature des
choses matérielles. Mais tout de même que les
peintres, ne pouvant également bien représenter dans un tableau plat toutes les diverses
faces d'un corps solide, en choisissent une des
principales qu'ils mettent seule vers le jour, et,
ombrageant les autres, ne les font paraître
qu'en tant qu'on les peut voir en la regardant :
ainsi, craignant de ne pouvoir mettre en mon
discours tout ce que j'avais en la pensée, j'entrepris seulement d'y exposer bien amplement ce
que je concevais de la lumière puis, à son occasion, d'y ajouter quelque chose du soleil et des
étoiles fixes, à cause qu'elle en procède presque
toute, des cieux, à cause qu'ils la transmettent,
des planètes, des comètes et de la terre, à cause
qu'elles la font réfléchir, et en particulier de
tous les corps qui sont sur la terre, à cause
qu'ils sont ou colorés, ou transparents, ou lumi-

neux, et enfin de l'homme, à cause qu'il en est
le spectateur. Même, pour ombrager un peu
toutes ces choses, et pouvoir dire plus librement ce que j'en jugeais, sans être obligé de
suivre ni de réfuter les opinions qui sont reçues
entre les doctes, je me résolus de laisser tout ce
monde ici à leurs disputes, et de parler seulement de ce qui arriverait dans un nouveau si
Dieu créait maintenant quelque part dans les
espaces imaginaires assez de matière pour le
composer, et qu'il agitât diversement et sans
ordre les diverses parties de cette matière, en
sorte qu'il en composât un chaos aussi confus
que les poètes en puissent feindre, et que par
après il ne fît autre chose que prêter son
concours ordinaire à la nature, et la laisser agir
suivant les lois qu'il a établies. Ainsi premièrement je décrivis cette matière et tâchai de la
représenter telle qu'il n'y a rien au monde, ce
me semble, de plus clair ni plus intelligible,
excepté ce qui a tantôt été dit de Dieu et de
l'âme : car même je supposai expressément
qu'il n'y avait en elle aucune de ces formes ou
qualités dont on dispute dans les écoles ni
généralement aucune chose dont la connaissance ne fût si naturelle à nos âmes qu'on ne
pût pas même feindre de l'ignorer. De plus je fis
voir quelles étaient les lois de la nature; et sans
appuyer mes raisons sur aucun autre principe
que sur les perfections infinies de Dieu, je
tâchai à démontrer toutes celles dont on eût pu
avoir quelque doute, et à faire voir qu'elles sont
telles qu'encore que Dieu aurait créé plusieurs
mondes, il n'y en saurait avoir aucun où elles
manquassent d'être observées. Après cela je

montrai comment la plus grande part de la
matière de ce chaos devait, en suite de ces lois,
se disposer et s'arranger d'une certaine façon
qui la rendait semblable à nos cieux; comment
cependant quelques-unes de ses parties
devaient composer une terre, et quelques-unes
des planètes et des comètes, et quelques autres
un soleil et des étoiles fixes : et ici m'étendant
sur le sujet de la lumière, j'expliquai bien au
long quelle était celle qui se devait trouver dans
le soleil et les étoiles, et comment de là elle tra-
versait en un instant les immenses espaces des
cieux, et comment elle se réfléchissait des planètes et des comètes vers la terre. J'y ajoutai
aussi plusieurs choses touchant la substance, la
situation, les mouvements et toutes les diverses
qualités de ces cieux et de ces astres; en sorte
que je pensais en dire assez pour faire
connaître qu'il ne se remarque rien en ceux de
ce monde qui ne dût, ou du moins qui ne pût,
paraître tout semblable en ceux du monde que
je décrivais. De là je vins à parler particulièrement de la terre : comment, encore que j'eusse
expressément supposé que Dieu n'avait mis
aucune pesanteur en la matière dont elle était
composée, toutes ses parties ne laissaient pas
de tendre exactement vers son centre; comment, y ayant de l'eau et de l'air sur sa superficie, la disposition des cieux et des astres, principalement de la lune, y devait causer un flux et
reflux qui fût semblable en toutes ses circonstances à celui qui se remarque dans nos
mers, et outre cela un certain cours tant de
l'eau que de l'air, du levant vers le couchant, tel
qu'on le remarque aussi entre les tropiques;

comment les montagnes, les mers, les fontaines et les rivières pouvaient naturellement s'y former, et les métaux y venir dans les mines, et les plantes y croître dans les campagnes, et généralement tous les corps qu'on nomme mêlés ou composés s'y engendrer. Et entre autres choses, à cause qu'après les astres je ne connais rien au monde que le feu qui produise de la lumière, je m'étudiai à faire entendre bien clairement tout ce qui appartient à sa nature, comment il se fait, comment il se nourrit, comment il n'a quelquefois que de la chaleur sans lumière et quelquefois que de la lumière sans chaleur, comment il peut introduire diverses couleurs en divers corps, et diverses autres qualités, comment il en fond quelques-uns et en durcit d'autres, comment il les peut consumer presque tous, ou convertir en cendres et en fumée; et enfin comment de ces cendres par la seule violence de son action il forme du verre : car, cette transmutation de cendres en verre me semblant être aussi admirable qu'aucune autre qui se fasse en la nature, je pris particulièrement plaisir à la décrire.

Toutefois je ne voulais pas inférer de toutes ces choses que ce monde ait été créé en la façon que je proposais : car il est bien plus vraisemblable que dès le commencement Dieu l'a rendu tel qu'il devait être. Mais il est certain, et c'est une opinion communément reçue entre les théologiens, que l'action par laquelle maintenant il le conserve est toute la même que celle par laquelle il l'a créé; de façon qu'encore qu'il ne lui aurait point donné au commencement d'autre forme que celle du chaos, pourvu qu'ayant établi les lois de la nature il lui prêtât son concours pour agir ainsi qu'elle a de coutume, on peut croire, sans faire tort au miracle de la création, que par cela seul toutes les choses qui sont purement matérielles auraient pu avec le temps s'y rendre telles que nous les voyons à présent; et leur nature est bien plus aisée à concevoir lorsqu'on les voit naître peu à peu en cette sorte que lorsqu'on ne les considère que toutes faites.

De la description des corps inanimés et des plantes, je passai à celle des animaux, et particulièrement à celle des hommes. Mais pource que je n'en avais pas encore assez de connaissance pour en parler du même style que du reste, c'est-à-dire en démontrant les effets par les causes, et faisant voir de quelles semences et en quelle façon la nature les doit produire, je me contentai de supposer que Dieu formât le corps d'un homme entièrement semblable à l'un des nôtres, tant en la figure extérieure de ses membres qu'en la conformation intérieure de ses organes, sans le composer d'autre matière que de celle que j'avais décrite, et sans mettre en lui au commencement aucune âme raisonnable, ni aucune autre chose pour y servir d'âme végétante ou sensitive, sinon qu'il excitât en son cœur un de ces feux sans lumière que j'avais déjà expliqués, et que je ne concevais point d'autre nature que celui qui échauffe le foin lorsqu'on l'a renfermé avant qu'il fût sec, ou qui fait bouillir les vins nouveaux lorsqu'on les laisse cuver sur la rape. Car, examinant les fonctions qui pouvaient en suite de cela être en ce corps, j'y trouvais exactement toutes celles qui peuvent être en nous sans que nous y pensions, ni par conséquent que notre âme, c'est-à-dire cette partie distincte du corps dont il a été dit ci-dessus que la nature n'est que de penser, y contribue, et qui sont toutes les mêmes, en quoi on peut dire que les animaux sans raison nous ressemblent : sans que j'y en pusse pour cela trouver aucune de celles qui, étant dépendantes de la pensée, sont les seules qui nous appartiennent en tant qu'hommes ; au lieu que je les y trouvais toutes par après, ayant supposé que Dieu créât une âme raisonnable, et qu'il la joignît à ce corps en certaine façon que je décrivais.

Mais afin qu'on puisse voir en quelle sorte j'y traitais cette matière, je veux mettre ici l'explication du mouvement du cœur et des artères, qui étant le premier et le plus général qu'on observe dans les animaux, on jugera facilement de lui ce qu'on doit penser de tous les autres. Et afin qu'on ait moins de difficulté à entendre ce que j'en dirai, je voudrais que ceux qui ne sont point versés en l'anatomie prissent la peine, avant que de lire ceci, de faire couper devant eux le cœur de quelque grand animal qui ait des poumons car il est en tous assez semblable à celui de l'homme ; et qu'ils se fissent montrer les deux chambres ou concavités qui y sont. Premièrement celle qui est dans son côté droit, à laquelle répondent deux tuyaux fort larges ; à savoir la veine cave, qui est le principal réceptacle du sang, et comme le tronc de l'arbre dont toutes les autres veines du corps sont les branches ; et la veine artérieuse, qui a été ainsi mal nommée pource que c'est en effet une

artère, laquelle, prenant son origine du cœur,
se divise, après en être sortie, en plusieurs
branches qui se vont répandre partout dans les
poumons. Puis celle qui est dans son côté
gauche, à laquelle répondent en même façon
deux tuyaux, qui sont autant ou plus larges que
les précédents; à savoir l'artère veineuse, qui a
été aussi mal nommée à cause qu'elle n'est
autre chose qu'une veine, laquelle vient des
poumons, où elle est divisée en plusieurs
branches, entrelacées avec celles de la veine
artérieuse, et celles de ce conduit qu'on nomme
le sifflet par où entre l'air de la respiration; et la
grande artère, qui, sortant du cœur, envoie ses
branches par tout le corps. Je voudrais aussi
qu'on leur montrât soigneusement les onze
petites peaux, qui comme autant de petites
portes ouvrent et ferment les quatre ouvertures
qui sont en ces deux concavités : à savoir, trois
à l'entrée de la veine cave, où elles sont
tellement disposées qu'elles ne peuvent
aucunement empêcher que le sang qu'elle
contient ne coule dans la concavité droite du
cœur, et toutefois empêchent exactement qu'il
n'en puisse sortir; trois à l'entrée de la veine
artérieuse, qui, étant disposées tout au
contraire, permettent bien au sang qui est dans
cette concavité de passer dans les poumons,
mais non pas à celui qui est dans les poumons
d'y retourner; et ainsi deux autres à l'entrée de
l'artère veineuse, qui laissent couler le sang des
poumons vers la concavité gauche du cœur,
mais s'opposent à son retour; et trois à l'entrée
de la grande artère, qui lui permettent de sortir
du cœur, mais l'empêchent d'y retourner. Et il

n'est point besoin de chercher d'autre raison du nombre de ces peaux, sinon que l'ouverture de l'artère veineuse, étant en ovale à cause du lieu où elle se rencontre, peut être commodément fermée avec deux, au lieu que les autres, étant rondes, le peuvent mieux être avec trois. De plus je voudrais qu'on leur fît considérer que la grande artère et la veine artérieuse sont d'une composition beaucoup plus dure et plus ferme que ne sont l'artère veineuse et la veine cave ; et que ces deux dernières s'élargissent avant que d'entrer dans le cœur, et y font comme deux bourses, nommées les oreilles du cœur, qui sont composées d'une chair semblable à la sienne ; et qu'il y a toujours plus de chaleur dans le cœur qu'en aucun autre endroit du corps ; et enfin que cette chaleur est capable de faire que, s'il entre quelque goutte de sang en ses concavités, elle s'enfle promptement et se dilate, ainsi que font généralement toutes les liqueurs, lorsqu'on les laisse tomber goutte à goutte en quelque vaisseau qui est fort chaud.

Car après cela je n'ai besoin de dire autre chose pour expliquer le mouvement du cœur, sinon que lorsque ses concavités ne sont pas pleines de sang, il y en coule nécessairement de la veine cave dans la droite, et de l'artère veineuse dans la gauche : d'autant que ces deux vaisseaux en sont toujours pleins, et que leurs ouvertures, qui regardent vers le cœur, ne peuvent alors être bouchées ; mais que sitôt qu'il est entré ainsi deux gouttes de sang, une en chacune de ses concavités, ces gouttes, qui ne peuvent être que fort grosses, à cause que les ouvertures par où elles entrent sont fort larges,

et les vaisseaux d'où elles viennent fort pleins
de sang, se raréfient et se dilatent, à cause de la
chaleur qu'elles y trouvent, au moyen de quoi,
faisant enfler tout le cœur, elles poussent et ferment les cinq petites portes qui sont aux
entrées des deux vaisseaux d'où elles viennent,
empêchant ainsi qu'il ne descende davantage
de sang dans le cœur; et continuant à se raré-
fier de plus en plus, elles poussent et ouvrent
les six autres petites portes qui sont aux entrées
des deux autres vaisseaux par où elles sortent,
faisant enfler par ce moyen toutes les branches
de la veine artérieuse et de la grande artère,
quasi au même instant que le cœur, lequel
incontinent après se désenfle, comme font
aussi ces artères, à cause que le sang qui y est
entré s'y refroidit, et leurs six petites portes se
referment, et les cinq de la veine cave et de
l'artère veineuse se rouvrent, et donnent passage à deux autres gouttes de sang, qui font
derechef enfler le cœur et les artères, tout de
même que les précédentes. Et pource que le
sang qui entre ainsi dans le cœur passe par ces
deux bourses qu'on nomme ses oreilles, de là
vient que leur mouvement est contraire au sien,
et qu'elles se désenflent lorsqu'il s'enfle. Au
reste, afin que ceux qui ne connaissent pas la
force des démonstrations mathématiques, et ne
sont pas accoutumés à distinguer les vraies raisons des vraisemblables, ne se hasardent pas de
nier ceci sans l'examiner, je les veux avertir que
ce mouvement que je viens d'expliquer suit
aussi nécessairement de la seule disposition des
organes qu'on peut voir à l'œil dans le cœur, et
de la chaleur qu'on y peut sentir avec les doigts,

et de la nature du sang qu'on peut connaître par expérience, que fait celui d'une horloge, de la force, de la situation et de la figure de ses contrepoids et de ses roues.

Mais si on demande comment le sang des veines ne s'épuise point en coulant ainsi continuellement dans le cœur, et comment les artères n'en sont point trop remplies, puisque tout celui qui passe par le cœur s'y va rendre, je n'ai pas besoin d'y répondre autre chose que ce qui a déjà été écrit par un médecin d'Angleterre auquel il faut donner la louange d'avoir rompu la glace en cet endroit, et d'être le premier qui a enseigné qu'il y a plusieurs petits passages aux extrémités des artères par où le sang qu'elles reçoivent du cœur entre dans les petites branches des veines, d'où il va se rendre derechef vers le cœur, en sorte que son cours n'est autre chose qu'une circulation perpétuelle. Ce qu'il prouve fort bien par l'expérience ordinaire des chirurgiens, qui, ayant lié le bras médiocrement fort au-dessus de l'endroit où ils ouvrent la veine, font que le sang en sort plus abondamment que s'ils ne l'avaient point lié : et il arriverait tout le contraire s'ils le liaient au-dessous entre la main et l'ouverture, ou bien qu'ils le liassent très fort au-dessus. Car il est manifeste que le lien médiocrement serré, pouvant empêcher que le sang qui est déjà dans le bras ne retourne vers le cœur par les veines, n'empêche pas pour cela qu'il n'y en vienne toujours de nouveau par les artères; à cause qu'elles sont situées au-dessous des veines; et que leurs peaux, étant plus dures, sont moins aisées à presser, et aussi que le sang qui vient du cœur

tend avec plus de force à passer par elles vers la
main qu'il ne fait à retourner de là vers le cœur
par les veines; et puisque ce sang sort du bras
par l'ouverture qui est en l'une des veines, il
doit nécessairement y avoir quelques passages
au-dessous du lien, c'est-à-dire vers les extrémités du bras, par où il y puisse venir des artères.
Il prouve aussi fort bien ce qu'il dit du cours du
sang par certaines petites peaux, qui sont tellement disposées en divers lieux de long des
veines qu'elles ne lui permettent point d'y passer du milieu du corps vers les extrémités, mais
seulement de retourner des extrémités vers le
cœur; et de plus par l'expérience qui montre
que tout celui qui est dans le corps en peut sortir en fort peu de temps par une seule artère
lorsqu'elle est coupée, encore même qu'elle fut
étroitement liée fort proche du cœur, et coupée
entre lui et le lien, en sorte qu'on n'eût aucun
sujet d'imaginer que le sang qui en sortirait vînt
d'ailleurs.

Mais il y a plusieurs autres choses qui
témoignent que la vraie cause de ce mouvement du sang est celle que j'ai dite. Comme premièrement la différence qu'on remarque entre
celui qui sort des veines et celui qui sort des
artères ne peut procéder que de ce qu'étant
raréfié et comme distillé, en passant par le
cœur, il est plus subtil et plus vif et plus chaud
incontinent après en être sorti, c'est-à-dire
étant dans les artères, qu'il n'est un peu devant
que d'y entrer, c'est-à-dire étant dans les
veines : et si on y prend garde, on trouvera que
cette différence ne paraît bien que vers le cœur,
et non point tant aux lieux qui en sont les plus

éloignés. Puis la dureté des peaux dont la veine artérieuse et la grande artère sont composées montre assez que le sang bat contre elles avec plus de force que contre les veines. Et pourquoi la concavité gauche du cœur et la grande artère seraient-elles plus amples et plus larges que la concavité droite et la veine artérieuse, si ce n'était que le sang de l'artère veineuse, n'ayant été que dans les poumons depuis qu'il a passé par le cœur, est plus subtil, et se raréfie plus fort et plus aisément, que celui qui vient immédiatement de la veine cave? Et qu'est-ce que les médecins peuvent deviner en tâtant le pouls, s'ils ne savent que, selon que le sang change de nature, il peut être raréfié par la chaleur du cœur plus ou moins fort et plus ou moins vite qu'auparavant? Et si on examine comment cette chaleur se communique aux autres membres, ne faut-il pas avouer que c'est par le moyen du sang, qui, passant par le cœur, s'y réchauffe, et se répand de là par tout le corps? D'où vient que si on ôte le sang de quelque partie, on en ôte par même moyen la chaleur; et encore que le cœur fût aussi ardent qu'un fer embrasé, il ne suffirait pas pour réchauffer les pieds et les mains tant qu'il fait, s'il n'y envoyait continuellement de nouveau sang. Puis aussi on connaît de là que le vrai usage de la respiration est d'apporter assez d'air frais dans le poumon pour faire que le sang, qui y vient de la concavité droite du cœur, où il a été raréfié et comme changé en vapeurs, s'y épaississe et convertisse en sang derechef, avant que de retomber dans la gauche, sans quoi il ne pourrait être propre à servir de nourriture au feu qui y est. Ce qui se confirme parce qu'on voit que les animaux qui n'ont point de poumons n'ont aussi qu'une seule concavité dans le cœur et que les enfants, qui n'en peuvent user pendant qu'ils sont renfermés au ventre de leurs mères, ont une ouverture par où il coule du sang de la veine cave en la concavité gauche du cœur, et un conduit par où il en vient de la veine artérieuse en la grande artère, sans passer par le poumon. Puis la coction, comment se ferait-elle en l'estomac, si le cœur n'y envoyait de la chaleur par les artères, et avec cela quelques-unes des plus coulantes parties du sang qui aident à dissoudre les viandes qu'on y a mises? Et l'action qui convertit le suc de ces viandes en sang n'est-elle pas aisée à connaître si on considère qu'il se distille, en passant et repassant par le cœur, peut-être plus de cent ou deux cents fois en chaque jour? Et qu'a-t-on besoin d'autre chose pour expliquer la nutrition, et la production des diverses humeurs qui sont dans le corps, sinon de dire que la force dont le sang en se raréfiant passe du cœur vers les extrémités des artères fait que quelques-unes de ses parties s'arrêtent entre celles des membres où elles se trouvent, et y prennent la place de quelques autres qu'elles en chassent; et que selon la situation, ou la figure, ou la petitesse des pores qu'elles rencontrent, les unes se vont rendre en certains lieux plutôt que les autres, en même façon que chacun peut avoir vu divers cribles qui, étant diversement percés, servent à séparer divers grains les uns des autres? Et enfin ce qu'il y a de plus remarquable en tout ceci, c'est la génération des esprits animaux, qui sont comme un vent très subtil, ou plutôt comme une flamme très pure et très vive, qui, montant continuellement en grande abondance du cœur dans le cerveau, se va rendre de là par les nerfs dans les muscles, et donne le mouvement à tous les membres : sans qu'il faille imaginer d'autre cause qui fasse que les parties du sang qui, étant plus agitées et les plus pénétrantes, sont les plus propres à composer ces esprits, se vont rendre plutôt vers le cerveau que vers ailleurs, sinon que les artères qui les y portent sont celles qui viennent du cœur le plus en ligne droite de toutes, et que, selon les règles des mécaniques, qui sont les mêmes que celles de la nature, lorsque plusieurs choses tendent ensemble à se mouvoir vers un même côté où il n'y a pas assez de place pour toutes, ainsi que les parties du sang qui sortent de la concavité gauche du cœur tendent vers le cerveau, les plus faibles et moins agitées en doivent être détournées par les plus fortes, qui par ce moyen s'y vont rendre seules.

J'avais expliqué assez particulièrement toutes ces choses dans le traité que j'avais eu ci-devant dessein de publier. Et ensuite, j'y avais montré quelle doit être la fabrique des nerfs et des muscles du corps humain, pour faire que les esprits animaux, étant dedans, aient la force de mouvoir ses membres : ainsi qu'on voit que les têtes, un peu après être coupées, se remuent encore, et mordent la terre, nonobstant qu'elles ne soient plus animées ; quels changements se doivent faire dans le cerveau pour causer la veille, et le sommeil et les songes ; comment la lumière, les sons, les odeurs, les goûts, la chaleur, et toutes les autres qualités des objets extérieurs y peuvent imprimer diverses idées, par l'entremise des sens; comment la faim, la soif, et les autres passions intérieures, y peuvent aussi envoyer les leurs; ce qui doit y être pris pour le sens commun, où ces idées sont reçues; pour la mémoire qui les conserve; et pour la fantaisie, qui les peut diversement changer, et en composer de nouvelles, et par même moyen, distribuant les esprits animaux dans les muscles, faire mouvoir les membres de ce corps, en autant de diverses façons, et autant à propos des objets qui se présentent à ses sens, et des passions intérieures qui sont en lui, que les nôtres se puissent mouvoir sans que la volonté les conduise. Ce qui ne semblera nullement étrange à ceux qui, sachant combien de divers *automates*, ou machines mouvantes, l'industrie des hommes peut faire, sans y employer que fort peu de pièces, à comparaison de la grande multitude des os, des muscles, des nerfs, des artères, des veines, et de toutes les autres parties qui sont dans le corps de chaque animal, considéreront ce corps comme une machine qui, ayant été faite des mains de Dieu, est incomparablement mieux ordonnée, et a en soi des mouvements plus admirables, qu'aucune de celles qui peuvent être inventées par les hommes.

Et je m'étais ici particulièrement arrêté à faire voir que, s'il y avait de telles machines qui eussent les organes et la figure d'un singe ou de quelque autre animal sans raison, nous n'aurions aucun moyen pour reconnaître qu'elles ne seraient pas en tout de même nature

que ces animaux : au lieu que s'il y en avait qui
eussent la ressemblance de nos corps, et imi-
tassent autant nos actions que moralement il
serait possible, nous aurions toujours deux
moyens très certains pour reconnaître qu'elles
ne seraient point pour cela de vrais hommes.
Dont le premier est que jamais elles ne pourraient user de paroles ni d'autres signes en les
composant, comme nous faisons pour déclarer
aux autres nos pensées. Car on peut bien concevoir qu'une machine soit tellement faite qu'elle
profère des paroles, et même qu'elle en profère
quelques-unes à propos des paroles, et même
qu'elle en profère quelques-unes à propos des
actions corporelles qui causeront quelque
changement en ses organes : comme si on la
touche en quelque endroit, qu'elle demande ce
qu'on lui veut dire ; si en un autre, qu'elle crie
qu'on lui fait mal, et choses semblables : mais
non pas qu'elle les arrange diversement, pour
répondre au sens de tout ce qui se dira en sa
présence, ainsi que les hommes les plus hébétés
peuvent faire. Et le second est que, bien qu'elles
fissent plusieurs choses aussi bien, ou peut-être
mieux, qu'aucun de nous, elles manqueraient
infailliblement en quelques autres, par lesquelles on découvrirait qu'elles n'agiraient pas
par connaissance, mais seulement par la disposition de leurs organes : car au lieu que la raison est un instrument universel, qui peut servir
en toutes sortes de rencontres, ces organes ont
besoin de quelque particulière disposition pour
chaque action particulière : d'où vient qu'il est
moralement impossible qu'il y en ait assez de
divers en une machine pour la faire agir en

toutes les occurrences de la vie de même façon
que notre raison nous fait agir.

Or par ces deux mêmes moyens on peut aussi
connaître la différence qui est entre les
hommes et les bêtes. Car c'est une chose bien
remarquable, qu'il n'y a point d'hommes si
hébétés et si stupides, sans en excepter même
les insensés, qu'ils ne soient capables d'arranger ensemble divers paroles, et d'en composer
un discours par lequel ils fassent entendre leurs
pensées ; et qu'au contraire, il n'y a point
d'autre animal, tant parfait et tant heureusement né qu'il puisse être, qui fasse le semblable. Ce qui n'arrive pas de ce qu'ils ont faute
d'organes, car on voit que les pies et les perro-
quets peuvent proférer des paroles ainsi que
nous, et toutefois ne peuvent parler ainsi que
nous, c'est-à-dire en témoignant qu'ils pensent
ce qu'ils disent : au lieu que les hommes qui,
étant nés sourds et muets, sont privés des
organes qui servent aux autres pour parler,
autant ou plus que les bêtes, ont coutume
d'inventer d'eux-mêmes quelques signes par
lesquels ils se font entendre à ceux qui, étant
ordinairement avec eux, ont loisir d'apprendre
leur langue. Et ceci ne témoigne pas seulement
que les bêtes ont moins de raison que les
hommes, mais qu'elles n'en ont point du tout :
car on voit qu'il n'en faut que fort peu pour
savoir parler, et d'autant qu'on remarque de
l'inégalité entre les animaux d'une même
espèce, aussi bien qu'entre les hommes, et que
les uns sont plus aisés à dresser que les autres,
il n'est pas croyable qu'un singe ou un perro-
quet qui serait des plus parfaits de son espèce

n'égalât en cela un enfant des plus stupides, ou du moins un enfant qui aurait le cerveau troublé, si leur âme n'était d'une nature du tout différente de la nôtre. Et on ne doit pas confondre les paroles avec les mouvements naturels qui témoignent les passions, et peuvent être imités par des machines aussi bien que par les animaux, ni penser, comme quelques anciens, que les bêtes parlent, bien que nous n'entendions pas leur langage : car s'il était vrai, puisqu'elles ont plusieurs organes qui se rapportent aux nôtres, elles pourraient aussi bien se faire entendre à nous qu'à leurs semblables. C'est aussi une chose fort remarquable que, bien qu'il y ait plusieurs animaux qui témoignent plus d'industrie que nous en quelques-unes de leurs actions, on voit toutefois que les mêmes n'en témoignent point du tout en beaucoup d'autres : de façon que ce qu'ils font mieux que nous ne prouve pas qu'ils ont de l'esprit, car à ce compte ils en auraient plus qu'aucun de nous, et feraient mieux en toute autre chose ; mais plutôt qu'ils n'en ont point, et que c'est la nature qui agit en eux selon la disposition de leurs organes : ainsi qu'on voit qu'une horloge, qui n'est composée que de roues et de ressorts, peut compter les heures et mesurer le temps plus justement que nous avec toute notre prudence.

J'avais décrit après cela l'âme raisonnable, et fait voir qu'elle ne peut aucunement être tirée de la puissance de la matière, ainsi que les autres choses dont j'avais parlé, mais qu'elle doit expressément être créée ; et comment il ne suffit pas qu'elle soit logée dans le corps humain ainsi qu'un pilote en son navire, sinon peut-être pour mouvoir ses membres, mais qu'il est besoin qu'elle soit jointe et unie plus étroitement avec lui pour avoir, outre cela, des sentiments et des appétits semblables aux nôtres, et ainsi composer un vrai homme. Au reste, je me suis ici un peu étendu sur le sujet de l'âme, à cause qu'il est des plus importants : car après l'erreur de ceux qui nient Dieu, laquelle je pense avoir ci-dessus assez réfutée, il n'y en a point qui éloigne plutôt les esprits faibles du droit chemin de la vertu, que d'imaginer que l'âme des bêtes soit de même nature que la nôtre, et que par conséquent nous n'avons rien à craindre, ni à espérer, après cette vie, non plus que les mouches et les fourmis : au lieu que lorsqu'on sait combien elles diffèrent, on comprend beaucoup mieux les raisons qui prouvent que la nôtre est d'une nature entièrement indépendante du corps, et par conséquent qu'elle n'est point sujette à mourir avec lui : puis d'autant qu'on ne voit point d'autres causes qui la détruisent, on est naturellement porté à juger de là qu'elle est immortelle.

SIXIÈME PARTIE

Or il y a maintenant trois ans que j'étais parvenu à la fin du traité qui contient toutes ces choses, et que je commençais à le revoir afin de le mettre entre les mains d'un imprimeur, lorsque j'appris que des personnes à qui je défère, et dont l'autorité ne peut guère moins sur mes actions que ma propre raison sur mes pensées, avaient désapprouvé une opinion de physique publié un peu auparavant par quelque autre, de laquelle je ne veux pas dire que je fusse, mais bien que je n'y avais rien remarqué, avant leur censure, que je pusse imaginer être préjudiciable ni à la religion ni à l'État, ni par conséquent qui m'eût empêché de l'écrire si la raison me l'eût persuadée; et que cela me fit craindre qu'il ne s'en trouvât tout de même quelqu'une entre les miennes en laquelle je me fusse mépris, nonobstant le grand soin que j'ai toujours eu de n'en point recevoir de nouvelles en ma créance dont je n'eusse des démonstrations très certaines, et de n'en point écrire qui pussent tourner au désavantage de personne. Ce qui a été suffisant pour m'obliger à changer la résolution que j'avais eue de les publier. Car encore que les raisons pour lesquelles je l'avais prise auparavant fussent très fortes, mon inclination, qui m'a toujours fait haïr le métier de faire des livres, m'en fit incontinent trouver assez d'autres pour m'en excuser. Et ces raisons de part et d'autre sont telles, que non seulement j'ai ici quelque intérêt de les dire, mais peut-être aussi que le public en a de les savoir.

Je n'ai jamais fait beaucoup d'état des choses qui venaient de mon esprit, et pendant que je n'ai recueilli d'autres fruits de la méthode dont je me sers sinon que je me suis satisfait touchant quelques difficultés qui appartiennent aux sciences spéculatives, ou bien que j'ai tâché de régler mes mœurs par les raisons qu'elle m'enseignait, je n'ai point cru être obligé d'en rien écrire. Car pour ce qui touche les mœurs, chacun abonde si fort en son sens qu'il se pourrait trouver autant de réformateurs que de têtes s'il était permis à d'autres qu'à ceux que Dieu a établis pour souverains sur ses peuples, ou bien auxquels il a donné assez de grâce et de zèle pour être prophètes, d'entreprendre d'y rien changer; et bien que mes spéculations me plussent fort, j'ai cru que les autres en avaient aussi, qui leur plaisaient peut-être davantage. Mais sitôt que j'ai eu acquis quelques notions générales touchant la physique, et que, commençant à les éprouver en diverses difficultés particulières, j'ai remarqué jusques où elles peuvent conduire, et combien elles diffèrent des principes dont on s'est servi jusques à présent, j'ai cru que je ne pouvais les tenir cachées sans pécher grandement contre la loi

qui nous oblige à procurer, autant qu'il est en
nous, le bien général de tous les hommes : car
elles m'ont fait voir qu'il est possible de parvenir à des connaissances qui soient fort utiles à
la vie, et qu'au lieu de cette philosophie spé-
culative qu'on enseigne dans les écoles, on en
peut trouver une pratique par laquelle, connaissant la force et les actions du feu, de l'eau, de
l'air, des astres, des cieux, et de tous les autres
corps qui nous environnent, aussi distinctement que nous connaissons les divers métiers
de nos artisans, nous les pourrions employer en
même façon à tous les usages auxquels ils sont
propres, et ainsi nous rendre comme maîtres et
possesseurs de la nature. Ce qui n'est pas seulement à désirer pour l'invention d'une infinité
d'artifices qui feraient qu'on jouirait sans
aucune peine des fruits de la terre et de toutes
les commodités qui s'y trouvent, mais principalement aussi pour la conservation de la
santé, laquelle est sans doute le premier bien, et
le fondement de tous les autres biens de cette
vie : car même l'esprit dépend si fort du tempérament, et de la disposition des organes du
corps, que, s'il est possible de trouver quelque
moyen qui rende communément les hommes
plus sages et plus habiles qu'ils n'ont été
jusques ici, je crois que c'est dans la médecine
qu'on doit le chercher. Il est vrai que celle qui
est maintenant en usage contient peu de choses
dont l'utilité soit si remarquable : mais sans que
j'aie aucun dessein de la mépriser, je m'assure
qu'il n'y a personne, même de ceux qui en font
profession, qui n'avoue que tout ce qu'on y sait
n'est presque rien à comparaison de ce qui

reste à y savoir ; et qu'on se pourrait exempter d'une infinité de maladies, tant du corps que de l'esprit, et même aussi peut-être de l'affaiblissement de la vieillesse, si on avait assez de connaissance de leurs causes, et de tous les remèdes dont la nature nous a pourvus. Or, ayant dessein d'employer toute ma vie à la recherche d'une science si nécessaire, et ayant rencontré un chemin qui me semble tel qu'on doit infailliblement la trouver en le suivant, si ce n'est qu'on en soit empêché, ou par la brièveté de la vie, ou par le défaut des expériences, je jugeais qu'il n'y avait point de meilleur remède contre ces deux empêchements que de communiquer fidèlement au public tout le peu que j'aurais trouvé, et de convier les bons esprits à tâcher de passer plus outre, en contribuant, chacun selon son inclination et son pouvoir, aux expériences qu'il faudrait faire, et communiquant aussi au public toutes les choses qu'ils apprendraient, afin que les derniers commençant où les précédents auraient achevé, et ainsi joignant les vies et les travaux de plusieurs, nous allassions tous ensemble beaucoup plus loin que chacun en particulier ne saurait faire.

Même je remarquais, touchant les expériences, qu'elles sont d'autant plus nécessaires qu'on est plus avancé en connaissance. Car, pour le commencement, il vaut mieux ne se servir que de celles qui se présentent d'elles-mêmes à nos sens, et que nous ne saurions ignorer pourvu que nous y fassions tant soit peu de réflexion, que d'en chercher de plus rares et étudiées : dont la raison est que ces

plus rares trompent souvent, lorsqu'on ne sait
pas encore les causes des plus communes; et
que les circonstances dont elles dépendent sont
quasi toujours si particulières, et si petites, qu'il
est très malaisé de les remarquer. Mais l'ordre
que j'ai tenu en ceci a été tel. Premièrement j'ai
tâché de trouver en général les principes ou
premières causes de tout ce qui est ou qui peut
être dans le monde, sans rien considérer pour
cet effet que Dieu seul qui l'a créé, ni les tirer
d'ailleurs que de certaines semences de vérités
qui sont naturellement en nos âmes. Après cela
j'ai examiné quels étaient les premiers et plus
ordinaires effets qu'on pouvait déduire de ces
causes; et il me semble que par là j'ai trouvé
des cieux, des astres, une terre, et même sur la
terre de l'eau, de l'air, du feu, des minéraux, et
quelques autres telles choses, qui sont les plus
communes de toutes, et les plus simples, et par
conséquent les plus aisées à connaître. Puis,
lorsque j'ai voulu descendre à celles qui étaient
plus particulières, il s'en est tant présenté à moi
de diverses que je n'ai pas cru qu'il fût possible
à l'esprit humain de distinguer les formes ou
espèces de corps qui sont sur la terre d'une infinité d'autres qui pourraient y être si c'eût été le
vouloir de Dieu de les y mettre; ni par
conséquent de les rapporter à notre usage, si ce
n'est qu'on vienne au-devant des causes par les
effets, et qu'on se serve de plusieurs expériences particulières. En suite de quoi repassant mon esprit sur tous les objets qui s'étaient
jamais présentés à mes sens, j'ose bien dire que
je n'y ai remarqué aucune chose que je ne pusse
assez commodément expliquer par les prin-

cipes que j'avais trouvés : mais il faut aussi que j'avoue que la puissance de la nature est si ample et si vaste, et que ces principes sont si simples et si généraux, que je ne remarque quasi plus aucun effet particulier que d'abord je ne connaisse qu'il peut en être déduit en plusieurs diverses façons ; et que ma plus grande difficulté est d'ordinaire de trouver en laquelle de ces façons il en dépend, car à cela je ne sais point d'autre expédient que de chercher derechef quelques expériences, qui soient telles que leur événement ne soit pas le même si c'est en l'une de ces façons qu'on doit l'expliquer, que si c'est en l'autre. Au reste j'en suis maintenant là, que je vois, ce me semble, assez bien de quel biais on se doit prendre à faire la plupart de celles qui peuvent servir à cet effet ; mais je vois aussi qu'elles sont telles et en si grand nombre que ni mes mains, ni mon revenu, bien que j'en eusse mille fois plus que je n'en ai, ne sauraient suffire pour toutes : en sorte que selon que j'aurai désormais la commodité d'en faire plus ou moins, j'avancerai aussi plus ou moins en la connaissance de la nature. Ce que je me promettais de faire connaître par le traité que j'avais écrit, et d'y montrer si clairement l'utilité que le public en peut recevoir que j'obligerais tous ceux qui désirent en général le bien des hommes, c'est-à-dire tous ceux qui sont en effet vertueux, et non point par faux semblant, ni seulement par opinion, tant à me communiquer celles qu'ils ont déjà faites qu'à m'aider en la recherche de celles qui restent à faire.

Mais j'ai eu depuis ce temps-là d'autres raisons qui m'ont fait changer d'opinion, et penser

que je devais véritablement continuer d'écrire
toutes les choses que je jugerais de quelque
importance, à mesure que j'en découvrirais la
vérité, et y apporter le même soin que si je les
voulais faire imprimer : tant afin d'avoir
d'autant plus d'occasion de les bien examiner
— comme sans doute on regarde toujours de
plus près à ce qu'on croit devoir être vu par plusieurs qu'à ce qu'on ne fait que pour soi-même,
et souvent les choses qui m'ont semblé vraies
lorsque j'ai commencé à les concevoir m'ont
paru fausses lorsque je les ai voulu mettre sur
le papier — qu'afin de ne perdre aucune occasion de profiter au public si j'en suis capable, et
que, si mes écrits valent quelque chose, ceux
qui les auront après ma mort en puissent user
ainsi qu'il sera le plus à propos ; mais que je ne
devais aucunement consentir qu'ils fussent
publiés pendant ma vie, afin que ni les oppositions et controverses auxquelles ils seraient
peut-être sujets ni même la réputation telle
quelle qu'ils me pourraient acquérir ne me don-
nassent aucune occasion de perdre le temps
que j'ai dessein d'employer à m'instruire. Car
bien qu'il soit vrai que chaque homme est
obligé de procurer, autant qu'il est en lui, le
bien des autres, et que c'est proprement ne
valoir rien que de n'être utile à personne, toutefois il est vrai aussi que nos soins se doivent
étendre plus loin que le temps présent, et qu'il
est bon d'omettre les choses qui apporteraient
peut-être quelque profit à ceux qui vivent
lorsque c'est à dessein d'en faire d'autres qui en
apportent davantage à nos neveux. Comme en
effet je veux bien qu'on sache que le peu que j'ai

appris jusqu'ici n'est presque rien à comparaison de ce que j'ignore, et que je ne désespère
pas de pouvoir apprendre : car c'est quasi le
même de ceux qui découvrent peu à peu la
vérité dans les sciences que de ceux qui,
commençant à devenir riches, ont moins de
peine à faire de grandes acquisitions qu'ils
n'ont eu auparavant, étant plus pauvres, à en
faire de beaucoup moindres. Ou bien on peut
les comparer aux chefs d'armée, dont les forces
ont coutume de croître à proportion de leurs
victoires, et qui ont besoin de plus de conduite
pour se maintenir après la perte d'une bataille
qu'ils n'ont, après l'avoir gagnée, à prendre des
villes et des provinces. Car c'est véritablement
donner des batailles que de tâcher à vaincre
toutes les difficultés et les erreurs qui nous
empêchent de parvenir à la connaissance de la
vérité ; et c'est en perdre une que de recevoir
quelque fausse opinion touchant une matière
un peu générale et importante : il faut, après,
beaucoup plus d'adresse pour se remettre au
même état qu'on était auparavant qu'il ne faut à
faire de grands progrès lorsqu'on a déjà des
principes qui sont assurés. Pour moi, si j'ai ci-
devant trouvé quelques vérités dans les sciences
(et j'espère que les choses qui sont contenues en
ce volume feront juger que j'en ai trouvé quelques-unes), je puis dire que ce ne sont que des
suites et des dépendances de cinq ou six principales difficultés que j'ai surmontées, et que je
compte pour autant de batailles où j'ai eu l'heur
de mon côté : même je ne craindrai pas de dire
que je pense n'avoir plus besoin d'en gagner
que deux ou trois autres semblables pour venir

entièrement à bout de mes desseins; et que
mon âge n'est point si avancé que, selon le
cours ordinaire de la nature, je ne puisse
encore avoir assez de loisir pour cet effet. Mais
je crois être d'autant plus obligé à ménager le
temps qui me reste que j'ai plus d'espérance de
le pouvoir bien employer; et j'aurais sans doute
plusieurs occasions de le perdre si je publiais
les fondements de ma physique. Car, encore
qu'ils soient presque tous si évidents qu'il ne
faut que les entendre pour les croire, et qu'il n'y
en ait aucun dont je ne pense pouvoir donner
des démonstrations, toutefois, à cause qu'il est
impossible qu'ils soient accordants avec toutes
les diverses opinions des autres hommes, je
prévois que je serais souvent diverti par les
oppositions qu'ils feraient naître.

On peut dire que ces oppositions seraient
utiles, tant afin de me faire connaître mes
fautes qu'afin que, si j'avais quelque chose de
bon, les autres en eussent par ce moyen plus
d'intelligence et, comme plusieurs peuvent plus
voir qu'un homme seul, que, commençant dès
maintenant à s'en servir, ils m'aidassent aussi
de leurs inventions. Mais encore que je me
reconnaisse extrêmement sujet à faillir, et que
je ne me fie quasi jamais aux premières pensées
qui me viennent, toutefois l'expérience que j'ai
des objections qu'on me peut faire m'empêche
d'en espérer aucun profit : car j'ai déjà souvent
éprouvé les jugements tant de ceux que j'ai
tenus pour mes amis que de quelques autres à
qui je pensais être indifférent, et même aussi de
quelques-uns dont je savais que la malignité et
l'envie tâcheraient assez à découvrir ce que

l'affection cacherait à mes amis; mais il est
rarement arrivé qu'on m'ait objecté quelque
chose que je n'eusse point du tout prévue, si ce
n'est qu'elle fût fort éloignée de mon sujet : en
sorte que je n'ai quasi jamais rencontré aucun
censeur de mes opinions qui ne me semblât ou
moins rigoureux ou moins équitable que moi-
même. Et je n'ai jamais remarqué non plus que
par le moyen des disputes qui se pratiquent
dans les écoles on ait découvert aucune vérité
qu'on ignorât auparavant. Car pendant que
chacun tâche de vaincre, on s'exerce bien plus à
faire valoir la vraisemblance qu'à peser les raisons de part et d'autre : et ceux qui ont été longtemps bons avocats ne sont pas pour cela par
après meilleurs juges.

Pour l'utilité que les autres recevraient de la
communication de mes pensées, elle ne pourrait aussi être fort grande, d'autant que je ne les
ai point encore conduites si loin qu'il ne soit
besoin d'y ajouter beaucoup de choses avant
que de les appliquer à l'usage. Et je pense pouvoir dire sans vanité que s'il y a quelqu'un qui
en soit capable, ce doit être plutôt moi
qu'aucun autre : non pas qu'il ne puisse y avoir
au monde plusieurs esprits incomparablement
meilleurs que le mien; mais pource qu'on ne
saurait si bien concevoir une chose, et la rendre
sienne, lorsqu'on l'apprend de quelque autre
que lorsqu'on l'invente soi-même. Ce qui est si
véritable en cette matière que, bien que j'aie
souvent expliqué quelques-unes de mes opinions à des personnes de très bon esprit, et qui
pendant que je leur parlais semblaient les
entendre fort distinctement, toutefois, lorsqu'ils

les ont redites, j'ai remarqué qu'ils les ont changées presque toujours en telle sorte que je ne les
pouvais plus avouer pour miennes. A l'occasion
de quoi je suis bien aise de prier ici nos neveux
de ne croire jamais que les choses qu'on leur
dira viennent de moi lorsque je ne les aurai
point moi-même divulguées : et je ne m'étonne
aucunement des extravagances qu'on attribue à
tous ces anciens philosophes dont nous n'avons
point les écrits, ni ne juge pas pour cela que
leurs pensées aient été fort déraisonnables, vu
qu'ils étaient des meilleurs esprits de leurs
temps, mais seulement qu'on nous les a mal
rapportées. Comme on voit aussi que presque
jamais il n'est arrivé qu'aucun de leurs secta-
teurs les ait surpassés : et je m'assure que les
plus passionnés de ceux qui suivent maintenant
Aristote se croiraient heureux s'ils avaient
autant de connaissance de la nature qu'il en a
eu, encore même que ce fût à condition qu'ils
n'en auraient jamais davantage. Ils sont comme
le lierre, qui ne tend point à monter plus haut
que les arbres qui le soutiennent, et même
souvent qui redescend après qu'il est parvenu
jusques à leur faîte : car il me semble aussi que
ceux-là redescendent, c'est-à-dire se rendent en
quelque façon moins savants que s'ils s'abste-
naient d'étudier, lesquels, non contents de
savoir tout ce qui est intelligiblement expliqué
dans leur auteur, veulent outre cela y trouver la
solution de plusieurs difficultés dont il ne dit
rien, et auxquelles il n'a peut-être jamais pensé.
Toutefois leur façon de philosopher est fort
commode, pour ceux qui n'ont que des esprits
fort médiocres ; car l'obscurité des distinctions

et des principes dont ils se servent est cause
qu'ils peuvent parler de toutes choses aussi har-
diment que s'ils les savaient, en soutenir tout ce
qu'ils en disent contre les plus subtils et les plus
habiles, sans qu'on ait moyen de les con-
vaincre : en quoi ils me semblent pareils à un
aveugle, qui, pour se battre sans désavantage
contre un qui voit, l'aurait fait venir dans le
fond de quelque cave fort obscure ; et je puis
dire que ceux-ci ont intérêt que je m'abstienne
de publier les principes de la philosophie dont
je me sers, car étant très simples et très évidents, comme ils sont, je ferais quasi le même
en les publiant que si j'ouvrais quelques
fenêtres, et faisais entrer du jour dans cette
cave où ils sont descendus pour se battre. Mais
même les meilleurs esprits n'ont pas occasion
de souhaiter de les connaître : car s'ils veulent
savoir parler de toutes choses, et acquérir la
réputation d'être doctes, ils y parviendront plus
aisément en se contentant de la vraisemblance,
qui peut être trouvée sans grande peine en
toutes sortes de matières, qu'en cherchant la
vérité, qui ne se découvre que peu à peu en
quelques-unes, et qui, lorsqu'il est question de
parler des autres, oblige à confesser franchement qu'on les ignore. Que s'ils préfèrent la
connaissance de quelque peu de vérités à la
vanité de paraître n'ignorer rien, comme sans
doute elle est bien préférable, et qu'ils veuillent
suivre un dessein semblable au mien, ils n'ont
pas besoin pour cela que je leur dise rien
davantage que ce que j'ai déjà dit en ce discours. Car s'ils sont capables de passer plus
outre que je n'ai fait, ils le seront aussi, à plus

forte raison, de trouver d'eux-mêmes tout ce que je pense avoir trouvé : d'autant que, n'ayant jamais rien examiné que par ordre, il est certain que ce qui me reste encore à découvrir est de soi plus difficile et plus caché que ce que j'ai pu ci-devant rencontrer, et ils auraient bien moins de plaisir à l'apprendre de moi que d'eux-mêmes ; outre que l'habitude qu'ils acquerront en cherchant premièrement des choses faciles, et passant peu à peu par degrés à d'autres plus difficiles, leur servira plus que toutes mes instructions ne sauraient faire. Comme pour moi je me persuade que si on m'eût enseigné dès ma jeunesse toutes les vérités dont j'ai cherché depuis les démonstrations, et que je n'eusse eu aucune peine à les apprendre, je n'en aurais peut-être jamais su aucunes autres, et du moins que jamais je n'aurais acquis l'habitude et la facilité que je pense avoir d'en trouver toujours de nouvelles, à mesure que je m'applique à les chercher. Et en un mot s'il y a au monde quelque ouvrage qui ne puisse être si bien achevé par aucun autre que par le même qui l'a commencé, c'est celui auquel je travaille.

Il est vrai que, pour ce qui est des expériences qui peuvent y servir, un homme seul ne saurait suffire à les faire toutes : mais il n'y saurait aussi employer utilement d'autres mains que les siennes, sinon celles des artisans, ou telles gens qu'il pourrait payer, et à qui l'espérance du gain, qui est un moyen très efficace, ferait faire exactement toutes les choses qu'il leur prescrirait. Car pour les volontaires qui par curiosité ou désir d'apprendre s'offriraient peut-être de

lui aider, outre qu'ils ont pour l'ordinaire plus
de promesses que d'effet, et qu'ils ne font que
de belles propositions dont aucune jamais ne
réussit, ils voudraient infailliblement être payés
par l'explication de quelques difficultés, ou du
moins par des compliments et des entretiens
inutiles, qui ne lui sauraient coûter si peu de
son temps qu'il n'y perdit. Et pour les expériences que les autres ont déjà faites, quand
bien même ils les lui voudraient communiquer,
ce que ceux qui les nomment des secrets ne
feraient jamais, elles sont pour la plupart
composées de tant de circonstances, ou d'ingré-
dients superflus, qu'il lui serait très malaisé
d'en déchiffrer la vérité : outre qu'il les trouve-
rait presque toutes si mal expliquées, ou même
si fausses, à cause que ceux qui les ont faite se
sont efforcés de les faire paraître conformes à
leurs principes, que s'il en avait quelques-unes
qui lui servissent, elles ne pourraient derechef
valoir le temps qu'il lui faudrait employer à les
choisir. De façon que s'il y avait au monde
quelqu'un qu'on sût assurément être capable de
trouver les plus grandes choses, et les plus
utiles au public qui puissent être, et que pour
cette cause les autres hommes s'efforçassent
par tous moyens de l'aider à venir à bout de ses
desseins, je ne vois pas qu'ils pussent autre
chose pour lui, sinon fournir aux frais des expériences dont il aurait besoin, et du reste empêcher que son loisir ne lui fût ôté par l'importu-
nité de personne. Mais outre que je ne présume
pas tant de moi-même que de vouloir rien pro-
mettre d'extraordinaire, ni ne me repais point
de pensées si vaines que de m'imaginer que le

public se doive beaucoup intéresser en mes desseins, je n'ai pas aussi l'âme si basse que je vou-
lusse accepter de qui que ce fût aucune faveur
qu'on pût croire que je n'aurais pas méritée.

Toutes ces considérations jointes ensemble
furent cause, il y a trois ans, que je ne voulus
point divulguer le traité que j'avais entre les
mains, et même que je fus en résolution de n'en
faire voir aucun autre, pendant ma vie, qui fût
si général, ni duquel on pût entendre les fondements de ma physique : mais il y a eu depuis
derechef deux autres raisons qui m'ont obligé à
mettre ici quelques essais particuliers, et à
rendre au public quelque compte de mes
actions et de mes desseins. La première est que,
si j'y manquais, plusieurs, qui ont su l'intention
que j'avais eue ci-devant de faire imprimer
quelques écrits, pourraient s'imaginer que les
causes pour lesquelles je m'en abstiens seraient
plus à mon désavantage qu'elles ne sont. Car
bien que je n'aime pas la gloire par excès, ou
même, si je l'ose dire, que je la haïsse, en tant
que je la juge contraire au repos, lequel j'estime
sur toutes choses, toutefois aussi je n'ai jamais
tâché de cacher mes actions comme des crimes,
ni n'ai usé de beaucoup de précautions pour
être inconnu ; tant à cause que j'eusse cru me
faire tort, qu'à cause que cela m'aurait donné
quelque espèce d'inquiétude qui eût derechef
été contraire au parfait repos d'esprit que je
cherche. Et pour ce que, m'étant toujours ainsi
tenu indifférent entre le soin d'être connu ou ne
l'être pas, je n'ai pu empêcher que je n'acquisse
quelque sorte de réputation, j'ai pensé que je
devais faire de mon mieux pour m'exempter au

moins de l'avoir mauvaise. L'autre raison qui m'a obligé à écrire ceci est que, voyant tous les jours de plus en plus le retardement que souffre le dessein que j'ai de m'instruire, à cause d'une infinité d'expériences dont j'ai besoin et qu'il est impossible que je fasse sans l'aide d'autrui, bien que je ne me flatte pas tant que d'espérer que le public prenne grande part en mes inté-rêts, toutefois je ne veux pas aussi me défaillir tant à moi-même que de donner sujet à ceux qui me survivront de me reprocher quelque jour que j'eusse pu leur laisser plusieurs choses beaucoup meilleures que je n'aurai fait, si je n'eusse point trop négligé de leur faire entendre en quoi ils pouvaient contribuer à mes des-seins.

Et j'ai pensé qu'il m'était aisé de choisir quel-ques matières qui, sans être sujettes à beau-coup de controverses, ni m'obliger à déclarer davantage de mes principes que je ne désire, ne laisseraient pas de faire voir assez clairement ce que je puis, ou ne puis pas, dans les sciences. En quoi je ne saurais dire si j'ai réussi, et je ne veux point prévenir les jugements de personne, en parlant moi-même de mes écrits : mais je serai bien aise qu'on les examine, et afin qu'on en ait d'autant plus d'occasion, je supplie tous ceux qui auront quelques objections à y faire de prendre la peine de les envoyer à mon libraire, par lequel, en étant averti, je tâcherai d'y joindre ma réponse en même temps, et par ce moyen les lecteurs, voyant ensemble l'un et l'autre, jugeront d'autant plus aisément de la vérité : car je ne promets pas d'y faire jamais de longues réponses, mais seulement d'avouer mes

fautes fort franchement, si je les connais ; ou
bien, si je ne les puis apercevoir, de dire simple-
ment ce que je croirai être requis pour la
défense des choses que j'ai écrites, sans y ajouter l'explication d'aucune nouvelle matière, afin
de ne me pas engager sans fin de l'une en
l'autre.

Que si quelques-unes de celles dont j'ai parlé
au commencement de la *Dioptrique* et des
Météores choquent d'abord, à cause que je les
nomme des suppositions, et que je ne semble
pas avoir envie de les prouver, qu'on ait la
patience de lire le tout avec attention, et
j'espère qu'on s'en trouvera satisfait : car il me
semble que les raisons s'y entresuivent en telle
sorte que, comme les dernières sont démon-
trées par les premières qui sont leurs causes,
ces premières le sont réciproquement par les
dernières qui sont leurs effets. Et on ne doit pas
imaginer que je commette en ceci la faute que
les logiciens nomment un cercle ; car, l'expérience rendant la plupart de ces effets très certains, les causes dont je les déduis ne servent
pas tant à les prouver qu'à les expliquer ; mais
tout au contraire ce sont elles qui sont prouvées
par eux. Et je ne les ai nommées des suppositions qu'afin qu'on sache que je pense les pouvoir déduire de ces premières vérités que j'ai ci-
dessus expliquées ; mais que j'ai voulu expressément ne le pas faire, pour empêcher que
certains esprits, qui s'imaginent qu'ils savent en
un jour tout ce qu'un autre a pensé en vingt
années, sitôt qu'il leur en a seulement dit deux
ou trois mots, et qui sont d'autant plus sujets à
faillir, et moins capables de la vérité, qu'ils sont

plus pénétrants et plus vifs, ne puissent de là prendre occasion de bâtir quelque philosophie extravagante sur ce qu'ils croiront être mes principes, et qu'on m'en attribue la faute. Car pour les opinions qui sont toutes miennes, je ne les excuse point comme nouvelles, d'autant que si on en considère bien les raisons, je m'assure qu'on les trouvera si simples, et si conformes au sens commun, qu'elles sembleront moins extra-ordinaires et moins étranges qu'aucunes autres qu'on puisse avoir sur mêmes sujets. Et je ne me vante point aussi d'être le premier inventeur d'aucunes, mais bien que je ne les aie jamais reçues ni pour ce qu'elles avaient été dites par d'autres, ni pour ce qu'elles ne l'avaient point été, mais seulement pour ce que la raison me les a persuadées.

Que si les artisans ne peuvent sitôt exécuter l'invention qui est expliquée en la *Dioptrique*, je ne crois pas qu'on puisse dire pour cela qu'elle soit mauvaise : car, d'autant qu'il faut de l'adresse et de l'habitude pour faire et pour ajuster les machines que j'ai décrites sans qu'il y manque aucune circonstance, je ne m'étonne-rais pas moins s'ils rencontraient du premier coup que si quelqu'un pouvait apprendre en un jour à jouer du luth excellemment, par cela seul qu'on lui aurait donné de la tablature qui serait bonne. Et si j'écris en français, qui est la langue de mon pays, plutôt qu'en latin, qui est celle de mes précepteurs, c'est à cause que j'espère que ceux qui ne se servent que de leur raison natu-relle toute pure jugeront mieux de mes opi-nions que ceux qui ne croient qu'aux livres anciens : et pour ceux qui joignent le bon sens

avec l'étude, lesquels seuls je souhaite pour mes
juges, ils ne seront point, je m'assure, si par-
tiaux pour le latin qu'ils refusent d'entendre
mes raisons pource que je les explique en
langue vulgaire.

Au reste je ne veux point parler ici en particulier des progrès que j'ai espérance de faire à
l'avenir dans les sciences, ni m'engager envers
le public d'aucune promesse que je ne sois pas
assuré d'accomplir : mais je dirai seulement
que j'ai résolu de n'employer le temps qui me
reste à vivre à autre chose qu'à tâcher d'acquérir quelque connaissance de la nature qui soit
telle qu'on en puisse tirer des règles pour la
médecine, plus assurées que celles qu'on a eues
jusqu'à présent ; et que mon inclination
m'éloigne si fort de toute sorte d'autres desseins, principalement de ceux qui ne sauraient
être utiles aux uns qu'en nuisant aux autres, qui
si quelques occasions me contraignaient de m'y
employer, je ne crois point que je fusse capable
d'y réussir. De quoi je fais ici une déclaration,
que je sais bien ne pouvoir servir à me rendre
considérable dans le monde ; mais aussi n'ai-je
aucunement envie de l'être ; et je me tiendrai
toujours plus obligé à ceux par la faveur desquels je jouirai sans empêchement de mon loisir, que je ne ferais à ceux qui m'offriraient les
plus honorables emplois de la terre.

LES PASSIONS DE L'ÂME

PREMIÈRE PARTIE

DES PASSIONS EN GÉNÉRAL :
ET PAR OCCASION
DE TOUTE LA NATURE DE L'HOMME.

Art. 1. *Que ce qui est passion au regard d'un sujet est toujours action à quelque autre égard.*

Il n'y a rien en quoi paraisse mieux combien les sciences que nous avons des anciens sont défectueuses qu'en ce qu'ils ont écrit des passions. Car, bien que ce soit une matière dont la connaissance a toujours été fort recherchée ; et qu'elle ne semble pas être des plus difficiles, à cause que chacun les sentant en soi-même on n'a point besoin d'emprunter d'ailleurs aucune observation pour en découvrir la nature : toutefois ce que les anciens en ont enseigné est si peu de chose, et pour la plupart si peu croyable, que je ne puis avoir aucune espérance d'approcher de la vérité qu'en m'éloignant des chemins qu'ils ont suivis. C'est pourquoi je serai obligé d'écrire ici en même façon que si je traitais d'une matière que jamais personne avant moi n'eût touchée. Et pour commencer, je considère que tout ce qui se fait ou qui arrive de nouveau est généralement appelé par les philosophes une passion au regard du sujet auquel il arrive, et une action au regard de celui qui fait qu'il arrive. En sorte que, bien que l'agent et le patient soient souvent fort différents, l'action et la passion ne laissent pas d'être toujours une même chose qui a ces deux noms, à raison des deux divers sujets auxquels on la peut rapporter.

ART. 2. *Que pour connaître les passions de l'âme il faut distinguer ses fonctions d'avec celles du corps.*

Puis aussi je considère que nous ne remarquons point qu'il y ait aucun sujet qui agisse plus immédiatement contre notre âme que le corps auquel elle est jointe ; et que par conséquent nous devons penser que ce qui est en elle une passion est communément en lui une action ; en sorte qu'il n'y a point de meilleur chemin pour venir à la connaissance de nos passions que d'examiner la différence qui est entre l'âme et le corps, afin de connaître auquel des deux on doit attribuer chacune des fonctions qui sont en nous.

ART. 3. *Quelle règle on doit suivre pour cet effet.*

A quoi on ne trouvera pas grande difficulté si on prend garde que tout ce que nous expérimentons être en nous, et que nous voyons aussi pouvoir être en des corps tout à fait inanimés, ne doit être attribué qu'à notre corps ; et, au contraire, que tout ce qui est en nous, et que nous ne concevons en aucune façon pouvoir appartenir à un corps, doit être attribué à notre âme.

Art. 4. *Que la chaleur et le mouvement des membres procèdent du corps, et les pensées de l'âme.*

Ainsi, à cause que nous ne concevons point que le corps pense en aucune façon, nous avons raison de croire que toutes sortes de pensées qui sont en nous appartiennent à l'âme; et à cause que nous ne doutons point qu'il y ait des corps inanimés qui se peuvent mouvoir en autant ou plus de diverses façons que les nôtres, et qui ont autant ou plus de chaleur (ce que l'expérience fait voir en la flamme, qui seule a beaucoup plus de chaleur et de mouvement qu'aucun de nos membres), nous devons croire que toute la chaleur et tous les mouvements qui sont en nous, en tant qu'ils ne dépendent point de la pensée, n'appartiennent qu'au corps.

Art. 5. *Que c'est erreur de croire que l'âme donne le mouvement et la chaleur au corps.*

Au moyen de quoi nous éviterons une erreur très considérable en laquelle plusieurs sont tombés, en sorte que j'estime qu'elle est la première cause qui a empêché qu'on n'ait pu bien expliquer jusques ici les passions et les autres

choses qui appartiennent à l'âme. Elle consiste
en ce que, voyant que tous les corps morts sont
privés de chaleur et ensuite de mouvement, on
s'est imaginé que c'était l'absence de l'âme qui
faisait cesser ces mouvements et cette chaleur.
Et ainsi on a cru sans raison que notre chaleur
naturelle et tous les mouvements de nos corps
dépendent de l'âme : au lieu qu'on devait penser au contraire que l'âme ne s'absente,
lorsqu'on meurt, qu'à cause que cette chaleur
cesse, et que les organes qui servent à mouvoir
le corps se corrompent.

ART. 6. *Quelle différence il y a entre un corps
vivant et un corps mort.*

Afin donc que nous évitions cette erreur,
considérons que la mort n'arrive jamais par la
faute de l'âme, mais seulement parce que
quelqu'une des principales parties du corps se
corrompt ; et jugeons que le corps d'un homme
vivant diffère autant de celui d'un homme mort
que fait une montre, ou autre automate (c'est-à-
dire autre machine qui se meut de soi-même),
lorsqu'elle est montée et qu'elle a en soi le principe corporel des mouvements pour lesquels
elle est instituée, avec tout ce qui est requis
pour son action, et la même montre ou autre
machine, lorsqu'elle est rompue et que le principe de son mouvement cesse d'agir.

Art. 7. *Brève explication des parties du corps, et de quelques-unes de ses fonctions.*

Pour rendre cela plus intelligible, j'expliquerai ici en peu de mots toute la façon dont la machine de notre corps est composée. Il n'y a personne qui ne sache déjà qu'il y a en nous un cœur, un cerveau, un estomac, des muscles, des nerfs, des artères, des veines, et choses semblables. On sait aussi que les viandes qu'on mange descendent dans l'estomac et dans les boyaux, d'où leur suc, coulant dans le foie et dans toutes les veines, se mêle avec le sang qu'elles contiennent, et par ce moyen en augmente la quantité. Ceux qui ont tant soit peu ouï parler de la médecine savent, outre cela, comment le cœur est composé et comment tout le sang des veines peut facilement couler de la veine cave en son côté droit, et de là passer dans le poumon par le vaisseau qu'on nomme la veine artérieuse, puis retourner du poumon dans le côté gauche du cœur par le vaisseau nommé l'artère veineuse, et enfin passer de là dans la grande artère, dont les branches se répandent par tout le corps. Même tous ceux que l'autorité des anciens n'a point entièrement aveuglés, et qui ont voulu ouvrir les yeux pour examiner l'opinion d'Hervæus touchant la circulation du sang, ne doutent point que toutes les veines et les artères du corps ne soient comme des ruisseaux par où le sang coule sans cesse fort promptement, en prenant son cours de la cavité droite du cœur par la veine artérieuse, dont les branches sont éparses en tout le poumon et jointes à celles de l'artère veineuse, par laquelle il passe du poumon dans le côté gauche du cœur, puis de là il va dans la grande artère, dont les branches, éparses par tout le reste du corps, sont jointes aux branches de la veine cave, qui portent derechef le même sang en la cavité droite du cœur : en sorte que ces deux cavités sont comme des écluses par chacune desquelles passe tout le sang à chaque tour qu'il fait dans le corps. De plus, on sait que tous les mouvements des membres dépendent des muscles ; et que ces muscles sont opposés les uns aux autres, en telle sorte que, lorsque l'un d'eux s'accourcit, il tire vers soi la partie du corps à laquelle il est attaché, ce qui fait allonger au même temps le muscle qui lui est opposé. Puis, s'il arrive en un autre temps que ce dernier s'accourcisse, il fait que le premier se rallonge, et il retire vers soi la partie à laquelle ils sont attachés. Enfin on sait que tous ces mouvements des muscles, comme aussi tous les sens, dépendent des nerfs, qui sont comme de petits filets ou comme de petits tuyaux qui viennent tous du cerveau, et contiennent ainsi que lui un certain air ou vent très subtil qu'on nomme les esprits animaux.

Art. 8. *Quel est le principe de toutes ces fonctions.*

Mais on ne sait pas communément en quelle façon ces esprits animaux et ces nerfs contribuent aux mouvements et aux sens, ni quel est le principe corporel qui les fait agir ; c'est pourquoi, encore que j'en aie déjà touché quelque chose en d'autres écrits, je ne laisserai pas de dire ici succinctement que, pendant que nous vivons, il y a une chaleur continuelle en notre cœur, qui est une espèce de feu que le sang des veines y entretient, et que ce feu est le principe corporel de tous les mouvements de nos membres.

ART. 9. *Comment se fait le mouvement du cœur.*

Son premier effet est qu'il dilate le sang dont les cavités du cœur sont remplies : ce qui est cause que ce sang, ayant besoin d'occuper un plus grand lieu, passe avec impétuosité de la cavité droite dans la veine artérieuse, et de la gauche dans la grande artère. Puis, cette dilatation cessant, il entre incontinent de nouveau sang de la veine cave en la cavité droite du cœur, et de l'artère veineuse en la gauche. Car il y a de petites peaux aux entrées de ces quatre vaisseaux, tellement disposées qu'elles font que le sang ne peut entrer dans le cœur que par les deux derniers ni en sortir que par les deux autres. Le nouveau sang entré dans le cœur y est incontinent après raréfié en même façon que le précédent. Et c'est en cela seul que consiste le pouls ou battement du cœur et des artères ; en sorte que ce battement se réitère autant de fois qu'il entre de nouveau sang dans le cœur. C'est aussi cela seul qui donne au sang son mouvement, et fait qu'il coule sans cesse très vite en toutes les artères et les veines ; au moyen de quoi il porte la chaleur qu'il acquiert dans le cœur à toutes les autres parties du corps; et il leur sert de nourriture.

ART. 10. *Comment les esprits animaux sont produits dans le cerveau.*

Mais ce qu'il y a ici de plus considérable, c'est que toutes les plus vives et plus subtiles parties du sang que la chaleur a raréfiées dans le cœur entrent sans cesse en grande quantité dans les cavités du cerveau. Et la raison qui fait qu'elles y vont plutôt qu'en aucun autre lieu, est que tout le sang qui sort du cœur par la grande artère prend son cours en ligne droite vers ce lieu-là, et que, n'y pouvant pas tout entrer, à cause qu'il n'y a que des passages fort étroits, celles de ses parties qui sont les plus agitées et les plus subtiles y passent seules pendant que le reste se répand en tous les autres endroits du corps. Or, ces parties du sang très subtiles composent les esprits animaux. Et elles n'ont besoin à cet effet de recevoir aucun autre changement dans le cerveau, sinon qu'elles y sont séparées des autres parties du sang moins subtiles. Car ce que je nomme ici des esprits ne sont que des corps, et ils n'ont point d'autre propriété sinon que ce sont des corps très petits et qui se meuvent très vite, ainsi que les parties de la flamme qui sort d'un flambeau : en sorte qu'ils ne s'arrêtent en aucun lieu; et qu'à mesure qu'il en entre quelques-uns dans les cavités du cerveau, il en sort aussi quelques autres par les pores qui sont en sa substance, lesquels pores les conduisent dans les nerfs, et de là dans les muscles, au moyen de quoi ils meuvent le corps en toutes les diverses façons qu'il peut être mû.

Art. 11. *Comment se font les mouvements des muscles.*

Car la seule cause de tous les mouvements des membres est que quelques muscles s'accourcissent et que leurs opposés s'allongent, ainsi qu'il a déjà été dit. Et la seule cause qui fait qu'un muscle s'accourcit plutôt que son opposé est qu'il vient tant soit peu plus d'esprits du cerveau vers lui que vers l'autre. Non pas que les esprits qui viennent immédiatement du cerveau suffisent seuls pour mouvoir ces muscles, mais ils déterminent les autres esprits qui sont déjà dans ces deux muscles à sortir tous fort promptement de l'un d'eux et passer dans l'autre : au moyen de quoi celui d'où ils sortent devient plus long et plus lâche ; et celui dans lequel ils entrent, étant promptement enflé par eux, s'accourcit et tire le membre auquel il est attaché. Ce qui est facile à concevoir, pourvu que l'on sache qu'il n'y a que fort peu d'esprits animaux qui viennent continuellement du cerveau vers chaque muscle, mais qu'il y en a toujours quantité d'autres enfermés dans le même muscle qui s'y meuvent très vite, quelquefois en tournoyant seulement dans le lieu où ils sont, à savoir, lorsqu'ils ne trouvent point de passages ouverts pour en sortir, et quelquefois en coulant dans le muscle opposé, d'autant qu'il y a de petites

ouvertures en chacun de ces muscles par où ces
esprits peuvent couler de l'un dans l'autre, et
qui sont tellement disposées que, lorsque les
esprits qui viennent du cerveau vers l'un d'eux
ont tant soit peu plus de force que ceux qui
vont vers l'autre, ils ouvrent toutes les entrées
par où les esprits de l'autre muscle peuvent passer en celui-ci, et ferment en même temps
toutes celles par où les esprits de celui-ci
peuvent passer en l'autre : au moyen de quoi
tous les esprits contenus auparavant en ces
deux muscles s'assemblent en l'un d'eux fort
promptement, et ainsi l'enflent et l'accourcissent, pendant que l'autre s'allonge et se
relâche.

Art. 12. *Comment les objets de dehors agissent
contre les organes des sens.*

Il reste encore ici à savoir les causes qui font
que les esprits ne coulent pas toujours du cerveau dans les muscles en même façon, et qu'il
en vient quelquefois plus vers les uns que vers
les autres. Car, outre l'action de l'âme, qui véritablement est en nous l'une de ces causes, ainsi
que je dirai ci-après, il y en a encore deux
autres qui ne dépendent que du corps, lesquelles il est besoin de remarquer. La première
consiste en la diversité des mouvements qui
sont excités dans les organes des sens par leurs
objets, laquelle j'ai déjà expliquée assez amplement en la *Dioptrique*; mais afin que ceux qui
verront cet écrit n'aient pas besoin d'en avoir lu
d'autres, je répéterai ici qu'il y a trois choses à

considérer dans les nerfs; à savoir leur moelle,
ou substance intérieure, qui s'étend en forme
de petits filets depuis le cerveau, d'où elle prend
son origine, jusques aux extrémités des autres
membres auxquelles ces filets sont attachés;
puis les peaux qui les environnent et qui, étant
continues avec celles qui enveloppent le cerveau, composent de petits tuyaux dans lesquels
ces petits filets sont enfermés; puis enfin les
esprits animaux qui, étant portés par ces
mêmes tuyaux depuis le cerveau jusques aux
muscles, sont cause que ces filets y demeurent
entièrement libres et étendus, en telle sorte que
la moindre chose qui meut la partie du corps
où l'extrémité de quelqu'un d'eux est attachée,
fait mouvoir par même moyen la partie du cerveau d'où il vient : en même façon que
lorsqu'on tire un des bouts d'une corde on fait
mouvoir l'autre.

Art. 13. *Que cette action des objets de dehors
peut conduire diversement les esprits dans les
muscles.*

Et j'ai expliqué en la *Dioptrique* comment
tous les objets de la vue ne se communiquent à
nous que par cela seul qu'ils meuvent locale-
ment, par l'entremise des corps transparents
qui sont entre eux et nous, les petits filets des
nerfs optiques qui sont au fond de nos yeux, et
ensuite les endroits du cerveau d'où viennent
ces nerfs : qu'ils les meuvent, dis-je, en autant
de diverses façons qu'ils nous font voir de diversités dans les choses; et que ce ne sont pas

immédiatement les mouvements qui se font en
l'œil, mais ceux qui se font dans le cerveau, qui
représentent à l'âme ces objets. A l'exemple de
quoi il est aisé de concevoir que les sons, les
odeurs, les saveurs, la chaleur, la douleur, la
faim, la soif, et généralement tous les objets,
tant de nos autres sens extérieurs que de nos
appétits intérieurs, excitent aussi quelque mouvement en nos nerfs, qui passe par leur moyen
jusqu'au cerveau. Et outre que ces divers mouvements du cerveau font avoir à notre âme
divers sentiments, ils peuvent aussi faire sans
elle que les esprits prennent leur cours vers certains muscles plutôt que vers d'autres, et ainsi
qu'ils meuvent nos membres. Ce que je prouve-
rai seulement ici par un exemple. Si quelqu'un
avance promptement sa main contre nos yeux,
comme pour nous frapper, quoique nous
sachions qu'il est notre ami, qu'il ne fait cela
que par jeu et qu'il se gardera bien de nous faire
aucun mal, nous avons toutefois de la peine à
nous empêcher de les fermer : ce qui montre
que ce n'est point par l'entremise de notre âme
qu'ils se ferment puisque c'est contre notre
volonté, laquelle est sa seule ou du moins sa
principale action ; mais que c'est à cause que la
machine de notre corps est tellement composée
que le mouvement de cette main vers nos yeux
excite un autre mouvement en notre cerveau,
qui conduit les esprits animaux dans les
muscles qui font abaisser les paupières.

Art. 14. *Que la diversité qui est entre les esprits peut aussi diversifier leur cours.*

L'autre cause qui sert à conduire diversement les esprits animaux dans les muscles est l'inégale agitation de ces esprits et la diversité de leurs parties. Car lorsque quelques-unes de leurs parties sont plus grosses et plus agitées que les autres, elles passent plus avant en ligne droite dans les cavités et dans les pores du cerveau, et par ce moyen sont conduites en d'autres muscles qu'elles ne le seraient si elles avaient moins de force.

Art. 15. *Quelles sont les causes de leur diversité.*

Et cette inégalité peut procéder des diverses matières dont ils sont composés, comme on voit en ceux qui ont bu beaucoup de vin que les vapeurs de ce vin, entrant promptement dans le sang, montent du cœur au cerveau, où elles se convertissent en esprits qui, étant plus forts et plus abondants que ceux qui y sont d'ordinaire, sont capables de mouvoir le corps en plusieurs étranges façons. Cette inégalité des esprits peut aussi procéder des diverses dispositions du cœur, du foie, de l'estomac, de la rate et de toutes les autres parties qui contribuent à leur production. Car il faut principalement ici remarquer certains petits nerfs insérés dans la base du cœur, qui servent à élargir et étrécir les entrées de ces concavités : au moyen de quoi le sang, s'y dilatant plus ou moins fort, produit des esprits diversement disposés. Il faut aussi remarquer que, bien que le sang qui entre dans le cœur y vienne de tous les autres endroits du corps, il arrive souvent néanmoins qu'il y est davantage poussé de quelques parties que des autres, à cause que les nerfs et les muscles qui répondent à ces parties-là le pressent ou l'agitent davantage; et que, selon la diversité des parties desquelles il vient le plus, il se dilate diversement dans le cœur, et ensuite produit des esprits qui ont des qualités différentes. Ainsi, par exemple, celui qui vient de la partie inférieure du foie, où est le fiel, se dilate d'autre façon dans le cœur que celui qui vient de la rate; et celui-ci autrement que celui qui vient des veines des bras ou des jambes; et enfin celui-ci tout autrement que le suc des viandes, lorsque, étant nouvellement sorti de l'estomac et des boyaux, il passe promptement par le foie jusques au cœur.

ART. 16. *Comment tous les membres peuvent être mus par les objets des sens et par les esprits sans l'aide de l'âme.*

Enfin il faut remarquer que la machine de notre corps est tellement composée que tous les changements qui arrivent au mouvement des esprits peuvent faire qu'ils ouvrent quelques pores du cerveau plus que les autres; et réciproquement que, lorsque quelqu'un de ces pores est tant soit peu plus ou moins ouvert que de coutume par l'action des nerfs qui servent aux sens, cela change quelque chose au mouvement des esprits, et fait qu'ils sont conduits dans les muscles qui servent à mouvoir le corps en la façon qu'il est ordinairement mû à l'occasion d'une telle action. En sorte que tous les mouvements que nous faisons sans que notre volonté y contribue (comme il arrive souvent que nous respirons, que nous marchons, que nous mangeons, et enfin que nous faisons toutes les actions qui nous sont communes avec les bêtes) ne dépendent que de la conformation de nos membres et du cours que les esprits, excités par la chaleur du cœur, suivent naturellement dans le cerveau, dans les nerfs et dans les muscles. En même façon que le mouvement d'une montre est produit par la seule force de son ressort et la figure de ses roues.

Art. 17. *Quelles sont les fonctions de l'âme.*

Après avoir ainsi considéré toutes les fonctions qui appartiennent au corps seul, il est aisé de connaître qu'il ne reste rien en nous que nous devions attribuer à notre âme, sinon nos pensées, lesquelles sont principalement de deux genres, à savoir les unes sont les actions de l'âme, les autres sont ses passions. Celles que je nomme ses actions sont toutes nos volontés, à cause que nous expérimentons qu'elles viennent directement de notre âme, et semblent ne dépendre que d'elle. Comme, au contraire, on peut généralement nommer ses passions toutes les sortes de perceptions ou connaissances qui se trouvent en nous, à cause que souvent ce n'est pas notre âme qui les fait telles qu'elles sont, et que toujours elle les reçoit des choses qui sont représentées par elles.

ART. 18. *De la volonté.*

Derechef nos volontés sont de deux sortes, car les unes sont des actions de l'âme qui se terminent en l'âme même, comme lorsque nous voulons aimer Dieu ou généralement appliquer notre pensée à quelque objet qui n'est point matériel. Les autres sont des actions qui se terminent en notre corps, comme lorsque de cela seul que nous avons la volonté de nous promener, il suit que nos jambes se remuent et que nous marchons.

ART. 19. *De la perception.*

Nos perceptions sont aussi de deux sortes, et les unes ont l'âme pour cause, les autres le corps. Celles qui ont l'âme pour cause sont les perceptions de nos volontés et de toutes les imaginations ou autres pensées qui en dépendent. Car il est certain que nous ne saurions vouloir aucune chose que nous n'apercevions par même moyen que nous la voulons. Et bien qu'au regard de notre âme ce soit une action de vouloir quelque chose, on peut dire que c'est aussi en elle une passion d'apercevoir qu'elle veut. Toutefois, à cause que cette perception et cette volonté ne sont en effet qu'une même chose, la dénomination se fait toujours par ce qui est le plus noble, et ainsi on n'a point coutume de la nommer une passion, mais seulement une action.

ART. 20. *Des imaginations et autres pensées qui sont formées par l'âme.*

Lorsque notre âme s'applique à imaginer quelque chose qui n'est point, comme à se représenter un palais enchanté ou une chimère ; et aussi lorsqu'elle s'applique à considérer quelque chose qui est seulement intelligible et non point imaginable, par exemple à considérer sa propre nature, les perceptions qu'elle a de ces choses dépendent principalement de la volonté qui fait qu'elle les aperçoit, c'est pourquoi on a coutume de les considérer comme des actions plutôt que comme des passions.

ART. 21. *Des imaginations qui n'ont pour cause que le corps.*

Entre les perceptions qui sont causées par le corps, la plupart dépendent des nerfs, mais il y en a aussi quelques-unes qui n'en dépendent point, et qu'on nomme des imaginations, ainsi que celles dont je viens de parler, desquelles néanmoins elles diffèrent en ce que notre volonté ne s'emploie point à les former ; ce qui fait qu'elles ne peuvent être mises au nombre des actions de l'âme ; et elles ne procèdent que de ce que les esprits étant diversement agités, et rencontrant les traces de diverses impressions qui ont précédé dans le cerveau, ils y prennent leur cours fortuitement par certains pores plutôt que par d'autres. Telles sont les illusions de nos songes et aussi les rêveries que nous avons souvent étant éveillés, lorsque notre pensée erre nonchalamment sans s'appliquer à rien de soi-même. Or, encore que quelques-unes de ces imaginations soient des passions de l'âme, en prenant ce mot en sa plus propre et plus particulière signification ; et qu'elles puissent être toutes ainsi nommées, si on le prend en une signification plus générale : toutefois, parce qu'elles n'ont pas une cause si notable et si déterminée que les perceptions que l'âme reçoit par l'entremise des nerfs, et qu'elles semblent n'en être que l'ombre et la peinture, avant que nous les puissions bien distinguer, il faut considérer la différence qui est entre ces autres.

Art. 22. *De la différence qui est entre les autres perceptions.*

Toutes les perceptions que je n'ai pas encore expliquées viennent à l'âme par l'entremise des nerfs, et il y a entre elles cette différence que nous les rapportons les unes aux objets de dehors, qui frappent nos sens, les autres à notre corps ou à quelques-unes de ses parties, et enfin les autres à notre âme.

Art. 23. *Des perceptions que nous rapportons aux objets qui sont hors de nous.*

Celles que nous rapportons à des choses qui sont hors de nous, à savoir, aux objets de nos sens, sont causées, au moins lorsque notre opinion n'est point fausse, par ces objets qui, excitant quelques mouvements dans les organes des sens extérieurs, en excitent aussi par l'entremise des nerfs dans le cerveau, lesquels font que l'âme les sent. Ainsi lorsque nous voyons la lumière d'un flambeau et que nous oyons le son d'une cloche, ce son et cette lumière sont deux diverses actions qui, par cela seul qu'elles excitent deux divers mouvements en quelques-uns de nos nerfs, et par leur moyen dans le cerveau, donnent à l'âme deux sentiments différents, lesquels nous rapportons tellement aux sujets que nous supposons être leurs causes, que nous pensons voir le flambeau même et ouïr la cloche, non pas sentir seulement des mouvements qui viennent d'eux.

Art. 24. *Des perceptions que nous rapportons à notre corps.*

Les perceptions que nous rapportons à notre corps ou à quelques-unes de ses parties sont celles que nous avons de la faim, de la soif et de nos autres appétits naturels; à quoi on peut joindre la douleur, la chaleur et les autres affections que nous sentons comme dans nos membres, et non pas comme dans les objets qui sont hors de nous; ainsi nous pouvons sentir en même temps, et par l'entremise des mêmes nerfs, la froideur de notre main et la chaleur de la flamme dont elle s'approche; ou bien, au contraire, la chaleur de la main et le froid de l'air auquel elle est exposée: sans qu'il y ait aucune différence entre les actions qui nous font sentir le chaud ou le froid qui est en notre main et celles qui nous font sentir celui qui est hors de nous; sinon que, l'une de ces actions survenant à l'autre, nous jugeons que la première est déjà en nous, et que celle qui survient n'y est pas encore, mais en l'objet qui la cause.

ART. 25. *Des perceptions que nous rapportons à notre âme.*

Les perceptions qu'on rapporte seulement à l'âme sont celles dont on sent les effets comme en l'âme même, et desquelles on ne connaît communément aucune cause prochaine à laquelle on les puisse rapporter. Tels sont les sentiments de joie, de colère, et autres semblables, qui sont quelquefois excités en nous par les objets qui meuvent nos nerfs, et quelquefois aussi par d'autres causes. Or, encore que toutes nos perceptions, tant celles qu'on rapporte aux objets qui sont hors de nous que celles qu'on rapporte aux diverses affections de notre corps, soient véritablement des passions au regard de notre âme lorsqu'on prend ce mot en sa plus générale signification; toutefois on a coutume de le restreindre à signifier seulement celles qui se rapportent à l'âme même. Et ce ne sont que ces dernières que j'ai entrepris ici d'expliquer sous le nom de passions de l'âme.

Art. 26. *Que les imaginations qui ne dépendent que du mouvement fortuit des esprits, peuvent être d'aussi véritables passions que les perceptions qui dépendent des nerfs.*

Il reste ici à remarquer que toutes les mêmes choses que l'âme aperçoit par l'entremise des nerfs lui peuvent aussi être représentées par le cours fortuit des esprits; sans qu'il y ait autre différence sinon que les impressions qui viennent dans le cerveau par les nerfs ont coutume d'être plus vives et plus expresses que celles que les esprits y excitent, ce qui m'a fait dire en l'article 21 que celles-ci sont comme l'ombre ou la peinture des autres. Il faut aussi remarquer qu'il arrive quelquefois que cette peinture est si semblable à la chose qu'elle représente, qu'on peut y être trompé touchant les perceptions qui se rapportent aux objets qui sont hors de nous, ou bien celles qui se rapportent à quelques parties de notre corps, mais qu'on ne peut pas l'être en même façon touchant les passions, d'autant qu'elles sont si proches et si intérieures à notre âme qu'il est impossible qu'elle les sente sans qu'elles soient véritablement telles qu'elle les sent. Ainsi souvent lorsqu'on dort, et même quelquefois étant éveillé, on imagine si fortement certaines choses qu'on pense les voir devant soi ou les sentir en son corps, bien qu'elles n'y soient aucunement : mais, encore qu'on soit endormi et qu'on rêve, on ne saurait se sentir triste ou ému de quelque autre passion, qu'il ne soit très vrai que l'âme a en soi cette passion.

Art. 27. *La définition des passions de l'âme.*

Après avoir considéré en quoi les passions de l'âme diffèrent de toutes ses autres pensées, il me semble qu'on peut généralement les définir des perceptions, ou des sentiments, ou des émotions de l'âme, qu'on rapporte particulièrement à elle, et qui sont causées, entretenues et fortifiées par quelque mouvement des esprits.

Art. 28. *Explication de la première partie de cette définition.*

On les peut nommer des perceptions lorsqu'on se sert généralement de ce mot pour signifier toutes les pensées qui ne sont point des actions de l'âme ou des volontés; mais non point lorsqu'on ne s'en sert que pour signifier des connaissances évidentes. Car l'expérience fait voir que ceux qui sont les plus agités par leurs passions ne sont pas ceux qui les connaissent le mieux, et qu'elles sont du nombre des perceptions que l'étroite alliance qui est entre l'âme et le corps rend confuses et obscures. On les peut aussi nommer des sentiments, à cause qu'elles sont reçues en l'âme en même façon que les objets des sens extérieurs, et ne sont pas autrement connues par elle. Mais on peut encore mieux les nommer des émotions de l'âme, non seulement à cause que ce nom peut être attribué à tous les changements qui arrivent en elle, c'est-à-dire à toutes les diverses pensées qui lui viennent; mais particulièrement parce que, de toutes les sortes de pensées qu'elle peut avoir, il n'y en a point d'autres qui l'agitent et l'ébranlent si fort que font ces passions.

ART. 29. *Explication de son autre partie.*

J'ajoute qu'elles se rapportent particulièrement à l'âme, pour les distinguer des autres sentiments qu'on rapporte, les uns aux objets extérieurs, comme les odeurs, les sons, les couleurs; les autres à notre corps, comme la faim, la soif, la douleur. J'ajoute aussi qu'elles sont causées, entretenues et fortifiées par quelque mouvement des esprits, afin de les distinguer de nos volontés, qu'on peut nommer des émotions de l'âme qui se rapportent à elle, mais qui sont causées par elle-même; et aussi afin d'expliquer leur dernière et plus prochaine cause, qui les distingue derechef des autres sentiments.

ART. 30. *Que l'âme est unie à toutes les parties du corps conjointement.*

Mais pour entendre plus parfaitement toutes ces choses, il est besoin de savoir que l'âme est véritablement jointe à tout le corps, et qu'on ne peut pas proprement dire qu'elle soit en quelqu'une de ses parties à l'exclusion des autres, à cause qu'il est un et en quelque façon indivisible, à raison de la disposition de ses organes qui se rapportent tellement tous l'un à l'autre que, lorsque quelqu'un d'eux est ôté, cela

rend tout le corps défectueux : et à cause qu'elle
est d'une nature qui n'a aucun rapport à l'étendue ni aux dimensions ou autres propriétés de
la matière dont le corps est composé ; mais seulement à tout l'assemblage de ses organes.
Comme il paraît de ce qu'on ne saurait
aucunement concevoir la moitié ou le tiers
d'une âme ni quelle étendue elle occupe, et
qu'elle ne devient point plus petite de ce qu'on
retranche quelque partie du corps, mais qu'elle
s'en sépare entièrement lorsqu'on dissout
l'assemblage de ses organes.

ART. 31. *Qu'il y a une petite glande dans le cer-*
veau en laquelle l'âme exerce ses fonctions plus
particulièrement que dans les autres parties.

Il est besoin aussi de savoir que, bien que
l'âme soit jointe à tout le corps, il y a néanmoins en lui quelque partie en laquelle elle
exerce ses fonctions plus particulièrement
qu'en toutes les autres. Et on croit communément que cette partie est le cerveau, ou peut-
être le cœur ; le cerveau, à cause que c'est à lui
que se rapportent les organes des sens ; et le
cœur, à cause que c'est comme en lui qu'on sent
les passions. Mais, en examinant la chose avec
soin, il me semble avoir évidemment reconnu
que la partie du corps en laquelle l'âme exerce
immédiatement ses fonctions n'est nullement le
cœur ; ni aussi tout le cerveau, mais seulement
la plus intérieure de ses parties, qui est une certaine glande fort petite, située dans le milieu de
sa substance, et tellement suspendue au-dessus

du conduit par lequel les esprits de ses cavités antérieures ont communication avec ceux de la postérieure, que les moindres mouvements qui sont en elle peuvent beaucoup pour changer le cours de ces esprits, et réciproquement que les moindres changements qui arrivent au cours des esprits peuvent beaucoup pour changer les mouvements de cette glande.

ART. 32. *Comment on connaît que cette glande est le principal siège de l'âme.*

La raison qui me persuade que l'âme ne peut avoir en tout le corps aucun autre lieu que cette glande où elle exerce immédiatement ses fonctions est que je considère que les autres parties de notre cerveau sont toutes doubles, comme aussi nous avons deux yeux, deux mains, deux oreilles, et enfin tous les organes de nos sens extérieurs sont doubles; et que, d'autant que nous n'avons qu'une seule et simple pensée d'une même chose en même temps, il faut nécessairement qu'il y ait quelque lieu où les deux images qui viennent par les deux yeux, où les deux autres impressions, qui viennent d'un seul objet par les doubles organes des autres sens, se puissent assembler en une avant qu'elles parviennent à l'âme, afin qu'elles ne lui représentent pas deux objets au lieu d'un. Et on peut aisément concevoir que ces images ou autres impressions se réunissent en cette glande par l'entremise des esprits qui remplissent les cavités du cerveau; mais il n'y a aucun autre endroit dans le corps où elles puissent ainsi être unies, sinon en suite de ce qu'elles le sont en cette glande.

ART. 33. *Que le siège des passions n'est pas dans le cœur.*

Pour l'opinion de ceux qui pensent que l'âme reçoit ses passions dans le cœur, elle n'est aucunement considérable; car elle n'est fondée que sur ce que les passions y font sentir quelque altération; et il est aisé à remarquer que cette altération n'est sentie, comme dans le cœur, que par l'entremise d'un petit nerf qui descend du cerveau vers lui; ainsi que la douleur est sentie comme dans le pied par l'entremise des nerfs du pied; et les astres sont aperçus comme dans le ciel par l'entremise de leur lumière et des nerfs optiques : en sorte qu'il n'est pas plus nécessaire que notre âme exerce immédiatement ses fonctions dans le cœur pour y sentir ses passions qu'il est nécessaire qu'elle soit dans le ciel pour y voir les astres.

ART. 34. *Comment l'âme et le corps agissent l'un contre l'autre.*

Concevons donc ici que l'âme a son siège principal dans la petite glande qui est au milieu du cerveau, d'où elle rayonne en tout le reste du corps par l'entremise des esprits, des nerfs et même du sang, qui, participant aux impres-

sions des esprits, les peut porter par les artères
en tous les membres ; et nous souvenant de ce
qui a été dit ci-dessus de la machine de notre
corps, à savoir, que les petits filets de nos nerfs
sont tellement distribués en toutes ses parties
qu'à l'occasion des divers mouvements qui y
sont excités par les objets sensibles, ils ouvrent
diversement les pores du cerveau, ce qui fait
que les esprits animaux contenus en ces cavités
entrent diversement dans les muscles, au
moyen de quoi ils peuvent mouvoir les
membres en toutes les diverses façons qu'ils
sont capables d'être mus ; et aussi que toutes les
autres causes qui peuvent diversement mouvoir
les esprits suffisent pour les conduire en divers
muscles. Ajoutons ici que la petite glande qui
est le principal siège de l'âme est tellement suspendue entre les cavités qui contiennent ces
esprits, qu'elle peut être mue par eux en autant
de diverses façons qu'il y a de diversités sensibles dans les objets ; mais qu'elle peut aussi
être diversement mue par l'âme, laquelle est de
telle nature qu'elle reçoit autant de diverses
impressions en elle, c'est-à-dire qu'elle a autant
de diverses perceptions qu'il arrive de divers
mouvements en cette glande. Comme aussi
réciproquement la machine du corps est tellement composée que, de cela seul que cette
glande est diversement mue par l'âme ou par
telle autre cause que ce puisse être, elle pousse
les esprits qui l'environnent vers les pores du
cerveau, qui les conduisent par les nerfs dans
les muscles, au moyen de quoi elle leur fait
mouvoir les membres.

Art. 35. *Exemple de la façon que les impressions des objets s'unissent en la glande qui est au milieu du cerveau.*

Ainsi, par exemple, si nous voyons quelque animal venir vers nous, la lumière réfléchie de son corps en peint deux images, une en chacun de nos yeux; et ces deux images en forment deux autres, par l'entremise des nerfs optiques, dans la superficie intérieure du cerveau qui regarde ses concavités; puis, de là, par l'entremise des esprits dont ses cavités sont remplies, ces images rayonnent en telle sorte vers la petite glande que ces esprits environnent, que le mouvement qui compose chaque point de l'une des images tend vers le même point de la glande vers lequel tend le mouvement qui forme le point de l'autre image, lequel représente la même partie de cet animal; au moyen de quoi les deux images qui sont dans le cerveau n'en composent qu'une seule sur la glande, qui, agissant immédiatement contre l'âme, lui fait voir la figure de cet animal.

Art. 36. *Exemple de la façon que les passions sont excitées en l'âme.*

Et, outre cela, si cette figure est fort étrange et fort effroyable, c'est-à-dire si elle a beaucoup de rapport avec les choses qui ont été auparavant nuisibles au corps, cela excite en l'âme la passion de la crainte, et ensuite celle de la hardiesse, ou bien celle de la peur et de l'épouvante, selon le divers tempérament du corps ou

la force de l'âme, et selon qu'on s'est auparavant garanti par la défense ou par la fuite
contre les choses nuisibles auxquelles l'impression présente a du rapport. Car cela rend le cerveau tellement disposé en quelques hommes,
que les esprits réfléchis de l'image ainsi formée
sur la glande vont de là se rendre partie dans
les nerfs qui servent à tourner le dos et remuer
les jambes pour s'enfuir ; et partie en ceux qui
élargissent ou étrécissent tellement les orifices
du cœur, ou bien qui agitent tellement les
autres parties d'où le sang lui est envoyé, que ce
sang y étant raréfié d'autre façon que de coutume, il envoie des esprits au cerveau qui sont
propres à entretenir et fortifier la passion de la
peur, c'est-à-dire qui sont propres à tenir
ouverts ou bien à ouvrir derechef les pores du
cerveau qui les conduisent dans les mêmes
nerfs. Car de cela seul que ces esprits entrent en
ces pores ils excitent un mouvement particulier
en cette glande, lequel est institué de la nature
pour faire sentir à l'âme cette passion. Et parce
que ces pores se rapportent principalement aux
petits nerfs qui servent à resserrer ou élargir les
orifices du cœur, cela fait que l'âme la sent
principalement comme dans le cœur.

ART. 37. *Comment il paraît qu'elles sont toutes
causées par quelque mouvement des esprits.*

Et parce que le semblable arrive en toutes les
autres passions, à savoir, qu'elles sont principalement causées par les esprits contenus dans
les cavités du cerveau, en tant qu'ils prennent

leur cours vers les nerfs qui servent à élargir ou
étrécir les orifices du cœur, ou à pousser diversement vers lui le sang qui est dans les autres
parties, ou, en quelque autre façon que ce soit,
à entretenir la même passion : on peut clairement entendre de ceci pourquoi j'ai mis ci-
dessus en leur définition qu'elles sont causées
par quelque mouvement particulier des esprits.

ART. 38. *Exemple des mouvements du corps*
qui accompagnent les passions et ne dépendent
point de l'âme.

Au reste, en même façon que le cours que
prennent ces esprits vers les nerfs du cœur suffit pour donner le mouvement à la glande par
lequel la peur est mise dans l'âme; ainsi aussi,
par cela seul que quelques esprits vont en
même temps vers les nerfs qui servent à remuer
les jambes pour fuir, ils causent un autre mouvement en la même glande par le moyen duquel
l'âme sent et aperçoit cette fuite, laquelle peut
en cette façon être excitée dans le corps par la
seule disposition des organes et sans que l'âme
y contribue.

ART. 39. *Comment une même cause peut exci-*
ter diverses passions en divers hommes.

La même impression que la présence d'un
objet effroyable fait sur la glande, et qui cause
la peur en quelques hommes, peut exciter en
d'autres le courage et la hardiesse : dont la rai-

son est que tous les cerveaux ne sont pas disposés en même façon; et que le même mouvement de la glande qui en quelques-uns excite la
peur fait dans les autres que les esprits entrent
dans les pores du cerveau qui les conduisent
partie dans les nerfs qui servent à remuer les
mains pour se défendre, et partie en ceux qui
agitent et poussent le sang vers le cœur, en la
façon qui est requise pour produire des esprits
propres à continuer cette défense et en retenir
la volonté.

Art. 40. *Quel est le principal effet des passions.*

Car il est besoin de remarquer que le principal effet de toutes les passions dans les
hommes est qu'elles incitent et disposent leur
âme à vouloir les choses auxquelles elles préparent leur corps : en sorte que le sentiment de
la peur l'incite à vouloir fuir, celui de la hardiesse à vouloir combattre : et ainsi des autres.

Art. 41. *Quel est le pouvoir de l'âme au regard du corps.*

Mais la volonté est tellement libre de sa
nature, qu'elle ne peut jamais être contrainte :
et des deux sortes de pensées que j'ai distin-
guées en l'âme, dont les unes sont ses actions, à
savoir, ses volontés, les autres ses passions, en
prenant ce mot en sa plus générale signification, qui comprend toutes sortes de perceptions; les premières sont absolument en son

pouvoir et ne peuvent qu'indirectement être
changées par le corps ; comme au contraire les
dernières dépendent absolument des actions
qui les produisent, et elles ne peuvent qu'indirectement être changées par l'âme, excepté
lorsqu'elle est elle-même leur cause. Et toute
l'action de l'âme consiste en ce que, par cela
seul qu'elle veut quelque chose, elle fait que la
petite glande à qui elle est étroitement jointe se
meut en la façon qui est requise pour produire
l'effet qui se rapporte à cette volonté.

ART. 42. *Comment on trouve en sa mémoire les choses dont on veut se souvenir.*

Ainsi, lorsque l'âme veut se souvenir de quelque chose, cette volonté fait que la glande, se
penchant successivement vers divers côtés,
pousse les esprits vers divers endroits du cerveau, jusques à ce qu'ils rencontrent celui où
sont les traces que l'objet dont on veut se souvenir y a laissées. Car ces traces ne sont autre
chose sinon que les pores du cerveau, par où les
esprits ont auparavant pris leur cours à cause
de la présence de cet objet, ont acquis par cela
une plus grande facilité que les autres à être
ouverts derechef en même façon par les esprits
qui viennent vers eux : en sorte que ces esprits
rencontrant ces pores entrent dedans plus facilement que dans les autres : au moyen de quoi
ils excitent un mouvement particulier en la
glande, lequel représente à l'âme le même objet
et lui fait connaître qu'il est celui duquel elle
voulait se souvenir.

Art. 43. *Comment l'âme peut imaginer, être attentive et mouvoir le corps.*

Ainsi, quand on veut imaginer quelque chose qu'on n'a jamais vue, cette volonté a la force de faire que la glande se meut en la façon qui est requise pour pousser les esprits vers les pores du cerveau par l'ouverture desquels cette chose peut être représentée. Ainsi, quand on veut arrêter son attention à considérer quelque temps un même objet, cette volonté retient la glande pendant ce temps-là penchée vers un même côté. Ainsi, enfin, quand on veut marcher ou mouvoir son corps en quelque autre façon, cette volonté fait que la glande pousse les esprits vers les muscles qui servent à cet effet.

Art. 44. *Que chaque volonté est naturellement jointe à quelque mouvement de la glande; mais que, par industrie ou par habitude, on la peut joindre à d'autres.*

Toutefois ce n'est pas toujours la volonté d'exciter en nous quelque mouvement ou quelque autre effet qui peut faire que nous l'excitons : mais cela change selon que la nature ou l'habitude ont diversement joint chaque mouvement de la glande à chaque pensée. Ainsi, par exemple, si on veut disposer ses yeux à regarder un objet fort éloigné, cette volonté fait que leur prunelle s'élargit; et si on les veut disposer à regarder un objet fort proche, cette volonté fait qu'elle s'étrécit. Mais si on pense seulement à

élargir la prunelle, on a beau en avoir la
volonté, on ne l'élargit point pour cela ; d'autant
que la nature n'a pas joint le mouvement de la
glande qui sert à pousser les esprits vers le nerf
optique en la façon qui est requise pour élargir
ou étrécir la prunelle avec la volonté de l'élargir
ou étrécir, mais bien avec celle de regarder des
objets éloignés ou proches. Et lorsqu'en parlant
nous ne pensons qu'au sens de ce que nous voulons dire, cela fait que nous remuons la langue
et les lèvres beaucoup plus promptement et
beaucoup mieux que si nous pensions à les
remuer en toutes les façons qui sont requises
pour proférer les mêmes paroles. D'autant que
l'habitude que nous avons acquise en apprenant à parler a fait que nous avons joint l'action
de l'âme, qui, par l'entremise de la glande, peut
mouvoir la langue et les lèvres, avec la signification des paroles qui suivent de ces mouvements plutôt qu'avec les mouvements mêmes.

Art. 45. *Quel est le pouvoir de l'âme au regard
de ses passions.*

Nos passions ne peuvent pas aussi directement être excitées ni ôtées par l'action de notre
volonté ; mais elles peuvent l'être indirectement
par la représentation des choses qui ont coutume d'être jointes avec les passions que nous
voulons avoir, et qui sont contraires à celles
que nous voulons rejeter. Ainsi, pour exciter en
soi la hardiesse et ôter la peur, il ne suffit pas
d'en avoir la volonté, mais il faut s'appliquer à
considérer les raisons, les objets ou les

exemples qui persuadent que le péril n'est pas grand ; qu'il y a toujours plus de sûreté en la défense qu'en la fuite ; qu'on aura de la gloire et de la joie d'avoir vaincu, au lieu qu'on ne peut attendre que du regret et de la honte d'avoir fui, et choses semblables.

Art. 46. *Quelle est la raison qui empêche que l'âme ne puisse entièrement disposer de ses passions.*

Il y a une raison particulière qui empêche l'âme de pouvoir promptement changer ou arrêter ses passions, laquelle m'a donné sujet de mettre ci-dessus en leur définition qu'elles sont non seulement causées, mais aussi entretenues et fortifiées par quelque mouvement particulier des esprits. Cette raison est qu'elles sont presque toutes accompagnées de quelque émotion qui se fait dans le cœur, et par conséquent aussi en tout le sang et les esprits, en sorte que, jusqu'à ce que cette émotion ait cessé, elles demeurent présentes à notre pensée en même façon que les objets sensibles y sont présents pendant qu'ils agissent contre les organes de nos sens. Et comme l'âme, en se rendant fort attentive à quelque autre chose, peut s'empêcher d'ouïr un petit bruit ou de sentir une petite douleur, mais ne peut s'empêcher en même façon d'ouïr le tonnerre ou de sentir le feu qui brûle la main : ainsi elle peut aisément surmonter les moindres passions, mais non pas les plus violentes et les plus fortes, sinon après que l'émotion du sang et des esprits est apaisée. Le plus que la volonté puisse faire pendant que cette émotion est en sa vigueur, c'est de ne pas consentir à ses effets et de retenir plusieurs des mouvements auxquels elle dispose le corps. Par exemple, si la colère fait lever la main pour frapper, la volonté peut ordinairement la retenir ; si la peur incite les jambes à fuir, la volonté les peut arrêter, et ainsi des autres.

Art. 47. *En quoi consistent les combats qu'on a coutume d'imaginer entre la partie inférieure et la supérieure de l'âme.*

Et ce n'est qu'en répugnance qui est entre les mouvements que le corps par ses esprits et l'âme par sa volonté tendent à exciter en même temps dans la glande, que consistent tous les combats qu'on a coutume d'imaginer entre la partie inférieure de l'âme qu'on nomme sensitive et la supérieure, qui est raisonnable ; ou bien entre les appétits naturels et la volonté. Car il n'y a en nous qu'une seule âme, et cette âme n'a en soi aucune diversité de parties ; la même qui est sensitive est raisonnable, et tous ses appétits sont des volontés. L'erreur qu'on a commise en lui faisant jouer divers personnages qui sont ordinairement contraires les uns aux autres ne vient que de ce qu'on n'a pas bien distingué ses fonctions d'avec celles du corps, auquel seul on doit attribuer tout ce qui peut être remarqué en nous qui répugne à notre raison. En sorte qu'il n'y a point en ceci d'autre combat sinon que la petite glande qui est au milieu du cerveau pouvant être poussée d'un

côté par l'âme et de l'autre par les esprits animaux, qui ne sont que des corps, ainsi que j'ai
dit ci-dessus, il arrive souvent que ces deux
impulsions sont contraires, et que la plus forte
empêche l'effet de l'autre. Or on peut distinguer
deux sortes de mouvements excités par les
esprits dans la glande ; les uns représentent à
l'âme les objets qui meuvent les sens, ou les
impressions qui se rencontrent dans le cerveau
et ne font aucun effort sur sa volonté ; les autres
y font quelque effort, à savoir, ceux qui causent
les passions ou les mouvements du corps qui
les accompagnent. Et, pour les premiers,
encore qu'ils empêchent souvent les actions de
l'âme ou bien qu'ils soient empêchés par elles :
toutefois, à cause qu'ils ne sont pas directement
contraires, on n'y remarque point de combat.
On en remarque seulement entre les derniers et
les volontés qui leur répugnent : par exemple,
entre l'effort dont les esprits poussent la glande
pour causer en l'âme le désir de quelque chose,
et celui dont l'âme la repousse par la volonté
qu'elle a de fuir la même chose. Et ce qui fait
principalement paraître ce combat, c'est que la
volonté n'ayant pas le pouvoir d'exciter directement les passions, ainsi qu'il a déjà été dit, elle
est contrainte d'user d'industrie et de s'appliquer à considérer successivement diverses
choses dont, s'il arrive que l'une ait la force de
changer pour un moment le cours des esprits, il
peut arriver que celle qui suit ne l'a pas et qu'ils
le reprennent aussitôt après, à cause que la disposition qui a précédé dans les nerfs, dans le
cœur et dans le sang n'est pas changée : ce qui
fait que l'âme se sent poussée presque en même

temps à désirer et ne désirer pas une même chose. Et c'est de là qu'on a pris occasion d'imaginer en elle deux puissances qui se combattent. Toutefois on peut encore concevoir quelque combat, en ce que souvent la même cause qui excite en l'âme quelque passion excite aussi certains mouvements dans le corps auxquels l'âme ne contribue point, et lesquels elle arrête ou tâche d'arrêter sitôt qu'elle les aperçoit : comme on éprouve lorsque ce qui excite la peur fait aussi que les esprits entrent dans les muscles qui servent à remuer les jambes pour fuir, et que la volonté qu'on a d'être hardi les arrête.

ART. 48. *En quoi on connaît la force ou la faiblesse des âmes, et quel est le mal des plus faibles.*

Or, c'est par le succès de ces combats que chacun peut connaître la force ou la faiblesse de son âme. Car ceux en qui naturellement la volonté peut le plus aisément vaincre les passions et arrêter les mouvements du corps qui les accompagnent ont sans doute les âmes les plus fortes. Mais il y en a qui ne peuvent éprouver leur force, parce qu'ils ne font jamais combattre leur volonté avec ses propres armes, mais seulement avec celles que lui fournissent quelques passions pour résister à quelques autres. Ce que je nomme ses propres armes sont des jugements fermes et déterminés touchant la connaissance du bien et du mal, suivant lesquels elle a résolu de conduire les actions de sa vie. Et les âmes les plus faibles de toutes sont celles dont la volonté ne se détermine point ainsi à suivre certains jugements, mais se laisse continuellement emporter aux passions présentes, lesquelles, étant souvent contraires les unes aux autres, la tirent tour à tour à leur parti et, l'employant à combattre contre elle-même, mettent l'âme au plus déplorable état qu'elle puisse être. Ainsi, lorsque la peur représente la mort comme un mal extrême et qui ne peut être évité que par la fuite, si l'ambition, d'autre côté, représente l'infamie de cette fuite comme un mal pire que la mort, ces deux passions agitent diversement la volonté, laquelle obéissant tantôt à l'une, tantôt à l'autre, s'oppose continuellement à soi-même, et ainsi rend l'âme esclave et malheureuse.

ART. 49. *Que la force de l'âme ne suffit pas sans la connaissance de la vérité.*

Il est vrai qu'il y a fort peu d'hommes si faibles et irrésolus qu'ils ne veulent rien que ce que leur passion leur dicte. La plupart ont des jugements déterminés, suivant lesquels ils règlent une partie de leurs actions. Et, bien que souvent ces jugements soient faux, et même fondés sur quelques passions par lesquelles la volonté s'est auparavant laissé vaincre ou séduire ; toutefois, à cause qu'elle continue de les suivre lorsque la passion qui les a causés est absente, on les peut considérer comme ses propres armes, et penser que les âmes sont plus fortes ou plus faibles à raison de ce qu'elles peuvent plus ou moins suivre ces jugements, et résister aux passions présentes qui leur sont contraires. Mais il y a pourtant grande différence entre les résolutions qui procèdent de quelque fausse opinion et celles qui ne sont appuyées que sur la connaissance de la vérité : d'autant que si on suit ces dernières, on est assuré de n'en avoir jamais de regret ni de repentir ; au lieu qu'on en a toujours d'avoir suivi les premières lorsqu'on en découvre l'erreur.

ART. 50. *Qu'il n'y a point d'âme si faible qu'elle ne puisse, étant bien conduite, acquérir un pouvoir absolu sur ses passions.*

Et il est utile ici de savoir que, comme il a déjà été dit ci-dessus, encore que chaque mouvement de la glande semble avoir été joint par la nature à chacune de nos pensées dès le commencement de notre vie, on les peut toutefois joindre à d'autres par habitude : ainsi que l'expérience fait voir aux paroles qui excitent des mouvements en la glande, lesquels, selon l'institution de la nature, ne représentent à l'âme que leur son lorsqu'elles sont proférées de la voix, ou la figure de leurs lettres lorsqu'elles sont écrites, et qui, néanmoins, par l'habitude qu'on a acquise en pensant à ce qu'elles signifient lorsqu'on a ouï leur son ou bien qu'on a vu leurs lettres, ont coutume de faire concevoir cette signification plutôt que la figure de leurs lettres ou bien le son de leurs syllabes. Il est utile aussi de savoir qu'encore que les mouvements, tant de la glande que des esprits et du cerveau, qui représentent à l'âme certains objets, soient naturellement joints avec ceux qui excitent en elle certaines passions, ils peuvent toutefois par habitude en être séparés et joints à d'autres fort différents ; et même que cette habitude peut être acquise par une seule action et ne requiert point un long usage. Ainsi, lorsqu'on rencontre inopinément quelque chose de fort sale en une viande qu'on mange avec appétit, la surprise de cette rencontre peut tellement changer la disposition du cerveau qu'on ne pourra plus voir par après de telle viande qu'avec horreur, au lieu qu'on la mangeait auparavant avec plaisir. Et on peut remarquer la même chose dans les bêtes ; car encore qu'elles n'aient point de raison, ni peut-être aussi aucune pensée, tous les mouvements des esprits et de la glande qui excitent en nous les passions ne laissent pas d'être en elles et d'y servir à entretenir et fortifier, non pas comme en nous, les passions, mais les mouvements des nerfs et des muscles qui ont coutume de les accompagner. Ainsi, lorsqu'un chien voit une perdrix, il est naturellement porté à courir vers elle, et lorsqu'il oit tirer un fusil, ce bruit l'incite naturellement à s'enfuir ; mais néanmoins on dresse ordinairement les chiens couchants en telle sorte que la vue d'une perdrix fait qu'ils s'arrêtent, et que le bruit qu'ils oient après, lorsqu'on tire sur elle, fait qu'ils y accourent. Or ces choses sont utiles à savoir pour donner le courage à un chacun d'étudier à régler ses passions. Car, puisqu'on peut, avec un peu d'industrie, changer les mouvements du cerveau dans les animaux dépourvus de raison, il est évident qu'on le peut encore mieux dans les hommes ; et que ceux même qui ont les plus faibles âmes pourraient acquérir un empire très absolu sur toutes leurs passions, si on employait assez d'industrie à les dresser et à les conduire.

SECONDE PARTIE

DU NOMBRE ET DE L'ORDRE DES PASSIONS
ET L'EXPLICATION DES SIX PRIMITIVES.

ART. 51. *Quelles sont les premières causes des passions.*

On connaît, de ce qui a été dit ci-dessus, que la dernière et plus prochaine cause des passions de l'âme n'est autre que l'agitation dont les esprits meuvent la petite glande qui est au milieu du cerveau. Mais cela ne suffit pas pour les pouvoir distinguer les unes des autres : il est besoin de rechercher leurs sources, et d'examiner leurs premières causes. Or, encore qu'elles puissent quelquefois être causées par l'action de l'âme, qui se détermine à concevoir tels ou tels objets ; et aussi par le seul tempérament du corps ou par les impressions qui se rencontrent fortuitement dans le cerveau, comme il arrive lorsqu'on se sent triste ou joyeux sans en pouvoir dire aucun sujet ; il paraît néanmoins, par ce qui a été dit, que toutes les mêmes peuvent aussi être excitées par les objets qui meuvent les sens, et que ces objets sont leurs causes plus ordinaires et principales : d'où il suit que, pour les trouver toutes, il suffit de considérer tous les effets de ces objets.

ART. 52. *Quel est leur usage, et comment on les peut dénombrer.*

Je remarque outre cela que les objets qui meuvent les sens n'excitent pas en nous diverses passions à raison de toutes les diversités qui sont en eux, mais seulement à raison des diverses façons qu'ils nous peuvent nuire ou profiter, ou bien en général être importants ; et que l'usage de toutes les passions consiste en cela seul qu'elles disposent l'âme à vouloir les choses que la nature dicte nous être utiles, et à persister en cette volonté ; comme aussi la même agitation des esprits qui a coutume de les causer dispose le corps aux mouvements qui servent à l'exécution de ces choses. C'est pourquoi, afin de les dénombrer, il faut seulement examiner par ordre en combien de diverses façons qui nous importent nos sens peuvent être mus par leurs objets. Et je ferai ici le dénombrement de toutes les principales passions selon l'ordre qu'elles peuvent ainsi être trouvées.

L'ORDRE ET LE DÉNOMBREMENT DES PASSIONS

ART. 53. *L'admiration.*

Lorsque la première rencontre de quelque objet nous surprend, et que nous le jugeons être nouveau, ou fort différent de ce que nous

connaissions auparavant ou bien de ce que
nous supposions qu'il devait être, cela fait que
nous l'admirons et en sommes étonnés. Et
parce que cela peut arriver avant que nous
connaissions aucunement si cet objet nous est
convenable ou s'il ne l'est pas, il me semble que
l'admiration est la première de toutes les passions. Et elle n'a point de contraire, à cause
que, si l'objet qui se présente n'a rien en soi qui
nous surprenne, nous n'en sommes aucunement émus et nous le considérons sans passion.

Art. 54. *L'estime et le mépris, la générosité ou
l'orgueil, et l'humilité ou la bassesse.*

A l'admiration est jointe l'estime ou le
mépris, selon que c'est la grandeur d'un objet
ou sa petitesse que nous admirons. Et nous
pouvons ainsi nous estimer ou nous mépriser
nous-mêmes : d'où viennent les passions, et
ensuite les habitudes de magnanimité ou
d'orgueil et d'humilité ou de bassesse.

Art. 55. *La vénération et le dédain.*

Mais quand nous estimons ou méprisons
d'autres objets que nous considérons comme
des causes libres capables de faire du bien ou
du mal, de l'estime vient la vénération, et du
simple mépris le dédain.

Art. 56. *L'amour et la haine.*

Or, toutes les passions précédentes peuvent être excitées en nous sans que nous apercevions en aucune façon si l'objet qui les cause est bon ou mauvais. Mais lorsqu'une chose nous est représentée comme bonne à notre égard, c'est-à-dire comme nous étant convenable, cela nous fait avoir pour elle de l'amour; et lorsqu'elle nous est représentée comme mauvaise ou nuisible, cela nous excite à la haine.

Art. 57. *Le désir.*

De la même considération du bien et du mal naissent toutes les autres passions, mais afin de les mettre par ordre, je distingue les temps, et considérant qu'elles nous portent bien plus à regarder l'avenir que le présent ou le passé, je commence par le désir. Car non seulement lorsqu'on désire acquérir un bien qu'on n'a pas encore, ou bien éviter un mal qu'on juge pouvoir arriver; mais aussi lorsqu'on ne souhaite que la conservation d'un bien ou l'absence d'un mal, qui est tout ce à quoi se peut étendre cette passion, il est évident qu'elle regarde toujours l'avenir.

Art. 58. *L'espérance, la crainte, la jalousie, la sécurité et le désespoir.*

Il suffit de penser que l'acquisition d'un bien ou la fuite d'un mal est possible pour être incité à la désirer. Mais quand on considère, outre cela, s'il y a beaucoup ou peu d'apparence qu'on obtienne ce qu'on désire, ce qui nous représente qu'il y en a beaucoup excite en nous l'espérance, et ce qui nous représente qu'il y en a peu excite la crainte, dont la jalousie est une espèce. Lorsque l'espérance est extrême, elle change de nature et se nomme sécurité ou assurance. Comme au contraire l'extrême crainte devient désespoir.

Art. 59. *L'irrésolution, le courage, la hardiesse, l'émulation, la lâcheté et l'épouvante.*

Et nous pouvons ainsi espérer et craindre, encore que l'événement de ce que nous attendons ne dépende aucunement de nous : mais quand il nous est représenté comme en dépendant, il peut y avoir de la difficulté en l'élection des moyens ou en l'exécution. De la première vient l'irrésolution, qui nous dispose à délibérer et prendre conseil. A la dernière s'oppose le courage ou la hardiesse, dont l'émulation est une espèce. Et la lâcheté est contraire au courage, comme la peur ou l'épouvante à la hardiesse.

Art. 60. *Le remords.*

Et si on s'est déterminé à quelque action avant que l'irrésolution fût ôtée, cela fait naître le remords de conscience : lequel ne regarde pas le temps à venir, comme les passions précédentes, mais le présent ou le passé.

Art. 61. *La joie et la tristesse.*

Et la considération du bien présent excite en nous de la joie, celle du mal, de la tristesse, lorsque c'est un bien ou un mal qui nous est représenté comme nous appartenant.

Art. 62. *La moquerie, l'envie, la pitié.*

Mais lorsqu'il nous est représenté comme appartenant à d'autres hommes, nous pouvons les en estimer dignes ou indignes : et lorsque nous les en estimons dignes, cela n'excite point en nous d'autre passion que la joie, en tant que c'est pour nous quelque bien de voir que les choses arrivent comme elles doivent. Il y a seulement cette différence que la joie qui vient du bien est sérieuse; au lieu que celle qui vient du mal est accompagnée de ris et de moquerie. Mais si nous les en estimons indignes, le bien excite l'envie, et le mal la pitié, qui sont des espèces de tristesse. Et il est à remarquer que les mêmes passions qui se rapportent aux biens ou aux maux présents peuvent souvent aussi être rapportées à ceux qui sont à venir, en tant que l'opinion qu'on a qu'ils adviendront les représente comme présents.

Art. 63. *La satisfaction de soi-même et le repentir.*

Nous pouvons aussi considérer la cause du bien ou du mal, tant présent que passé. Et le bien qui a été fait par nous-mêmes nous donne une satisfaction intérieure, qui est la plus douce de toutes les passions : au lieu que le mal excite le repentir, qui est la plus amère.

Art. 64. *La faveur et la reconnaissance.*

Mais le bien qui a été fait par d'autres est cause que nous avons pour eux de la faveur, encore que ce ne soit point à nous qu'il ait été fait ; et si c'est à nous, à la faveur nous joignons la reconnaissance.

Art. 65. *L'indignation et la colère.*

Tout de même le mal fait par d'autres, n'étant point rapporté à nous, fait seulement que nous avons pour eux de l'indignation ; et lorsqu'il y est rapporté, il émeut aussi la colère.

Art. 66. *La gloire et la honte.*

De plus, le bien qui est ou qui a été en nous, étant rapporté à l'opinion que les autres en peuvent avoir, excite en nous de la gloire ; et le mal, de la honte.

Art. 67. *Le dégoût, le regret et l'allégresse.*

Et quelquefois la durée du bien cause l'ennui ou le dégoût ; au lieu que celle du mal diminue la tristesse. Enfin, du bien passé vient le regret, qui est une espèce de tristesse ; et du mal passé vient l'allégresse, qui est une espèce de joie.

Art. 68. *Pourquoi ce dénombrement des passions est différent de celui qui est communément reçu.*

Voilà l'ordre qui me semble être le meilleur pour dénombrer les passions. En quoi je sais bien que je m'éloigne de l'opinion de tous ceux qui en ont ci-devant écrit. Mais ce n'est pas sans grande raison. Car ils tirent leur dénombrement de ce qu'ils distinguent en la partie sensitive de l'âme deux appétits, qu'ils nomment l'un *concupiscible*, l'autre *irascible*. Et parce que je ne connais en l'âme aucune distinction de parties, ainsi que j'ai dit ci-dessus, cela me semble ne signifier autre chose sinon qu'elle a deux facultés, l'une de désirer, l'autre de se fâcher; et à cause qu'elle a en même façon les facultés d'admirer, d'aimer, d'espérer, de craindre, et ainsi de recevoir en soi chacune des autres passions, ou de faire les actions auxquelles ces passions la poussent, je ne vois pas pourquoi ils ont voulu les rapporter toutes à la concupiscence ou à la colère. Outre que leur dénombrement ne comprend point toutes les principales passions, comme je crois que fait celui-ci. Je parle seulement des principales, à cause qu'on en pourrait encore distinguer plusieurs autres plus particulières, et leur nombre est indéfini.

Art. 69. *Qu'il n'y a que six passions primitives.*

Mais le nombre de celles qui sont simples et primitives n'est pas fort grand. Car, en faisant une revue sur toutes celles que j'ai dénombrées, on peut aisément remarquer qu'il n'y en a que six qui soient telles; à savoir l'admiration, l'amour, la haine, le désir, la joie et la tristesse; et que toutes les autres sont composées de quelques-unes de ces six, ou bien en sont des espèces. C'est pourquoi, afin que leur multitude n'embarrasse point les lecteurs, je traiterai ici séparément des six primitives; et par après je ferai voir en quelle façon toutes les autres en tirent leur origine.

Art. 70. *De l'admiration; sa définition et sa cause.*

L'admiration est une subite surprise de l'âme, qui fait qu'elle se porte à considérer avec attention les objets qui lui semblent rares et extraordinaires. Ainsi elle est causée premièrement par l'impression qu'on a dans le cerveau, qui représente l'objet comme rare et par conséquent digne d'être fort considéré; puis ensuite par le mouvement des esprits, qui sont disposés par cette impression à tendre avec grande force vers l'endroit du cerveau où elle est pour l'y fortifier et conserver : comme aussi ils sont disposés par elle à passer de là dans les muscles qui servent à retenir les organes des sens en la même situation qu'ils sont, afin qu'elle soit encore entretenue par eux, si c'est par eux qu'elle a été formée.

Art. 71. *Qu'il n'arrive aucun changement dans le cœur ni dans le sang en cette passion.*

Et cette passion a cela de particulier qu'on ne remarque point qu'elle soit accompagnée d'aucun changement qui arrive dans le cœur et dans le sang, ainsi que les autres passions. Dont la raison est que, n'ayant pas le bien ni le mal pour objet, mais seulement la connaissance de la chose qu'on admire, elle n'a point de rapport avec le cœur et le sang, desquels dépend tout le bien du corps, mais seulement avec le cerveau, où sont les organes des sens qui servent à cette connaissance.

Art. 72. *En quoi consiste la force de l'admiration.*

Ce qui n'empêche pas qu'elle n'ait beaucoup de force à cause de la surprise, c'est-à-dire de l'arrivement subit et inopiné de l'impression qui change le mouvement des esprits : laquelle surprise est propre et particulière à cette passion ; en sorte que lorsqu'elle se rencontre en d'autres, comme elle a coutume de se rencontrer presque en toutes et de les augmenter, c'est que l'admiration est jointe avec elles. Et sa force dépend de deux choses, à savoir, de la nouveauté, et de ce que le mouvement qu'elle cause a dès son commencement toute sa force. Car il est certain qu'un tel mouvement a plus d'effet que ceux qui, étant faibles d'abord et ne croissant que peu à peu, peuvent aisément être détournés. Il est certain aussi que les objets des sens qui sont nouveaux touchent le cerveau en certaines parties auxquelles il n'a point coutume d'être touché, et que ces parties étant plus tendres ou moins fermes que celles qu'une agitation fréquente a endurcies, cela augmente l'effet des mouvements qu'ils y excitent. Ce qu'on ne trouvera pas incroyable si l'on considère que c'est une pareille raison qui fait que les plantes de nos pieds, étant accoutumées à un attouchement assez rude par la pesanteur du corps qu'elles portent, nous ne sentons que fort peu cet attouchement quand nous marchons ; au lieu qu'un autre beaucoup moindre et plus doux dont on les chatouille nous est presque insupportable, à cause seulement qu'il ne nous est pas ordinaire.

ART. 73. *Ce que c'est que l'étonnement.*

Et cette surprise a tant de pouvoir pour faire que les esprits qui sont dans les cavités du cerveau y prennent leur cours vers le lieu où est l'impression de l'objet qu'on admire, qu'elle les y pousse quelquefois tous, et fait qu'ils sont tellement occupés à conserver cette impression, qu'il n'y en a aucuns qui passent de là dans les muscles, ni même qui se détournent en aucune façon des premières traces qu'ils ont suivies dans le cerveau : ce qui fait que tout le corps demeure immobile comme une statue, et qu'on ne peut apercevoir de l'objet que la première face qui s'est présentée, ni par conséquent en acquérir une plus particulière connaissance. C'est cela qu'on appelle communément être étonné; et l'étonnement est un excès d'admiration qui ne peut jamais être que mauvais.

ART. 74. *A quoi servent toutes les passions, et à quoi elles nuisent.*

Or, il est aisé à connaître, de ce qui a été dit ci-dessus, que l'utilité de toutes les passions ne consiste qu'en ce qu'elles fortifient et font durer en l'âme des pensées, lesquelles il est bon qu'elle conserve, et qui pourraient facilement, sans cela, en être effacées. Comme aussi tout le mal qu'elles peuvent causer consiste en ce qu'elles fortifient et conservent ces pensées plus qu'il n'est besoin; ou bien qu'elles en fortifient et conservent d'autres auxquelles il n'est pas bon de s'arrêter.

ART. 75. *A quoi sert particulièrement l'admiration.*

Et on peut dire en particulier de l'admiration qu'elle est utile en ce qu'elle fait que nous apprenons et retenons en notre mémoire les choses que nous avons auparavant ignorées. Car nous n'admirons que ce qui nous paraît rare et extraordinaire : et rien ne nous peut paraître tel que parce que nous l'avons ignoré, ou même aussi parce qu'il est différent des choses que nous avons sues : car c'est cette différence qui fait qu'on le nomme extraordinaire. Or, encore qu'une chose qui nous était inconnue se présente de nouveau à notre enten-

dement ou à nos sens, nous ne la retenons
point pour cela en notre mémoire, si ce n'est
que l'idée que nous en avons soit fortifiée en
notre cerveau par quelque passion; ou bien
aussi par l'application de notre entendement,
que notre volonté détermine à une attention et
réflexion particulière. Et les autres passions
peuvent servir pour faire qu'on remarque les
choses qui paraissent bonnes ou mauvaises :
mais nous n'avons que l'admiration pour celles
qui paraissent seulement rares. Aussi voyons-
nous que ceux qui n'ont aucune inclination
naturelle à cette passion sont ordinairement
fort ignorants.

Art. 76. *En quoi elle peut nuire : et comment
on peut suppléer à son défaut et corriger son
excès.*

Mais il arrive bien plus souvent qu'on admire
trop, et qu'on s'étonne en apercevant des choses
qui ne méritent que peu ou point d'être considérées, que non pas qu'on admire trop peu. Et
cela peut entièrement ôter ou pervertir l'usage
de la raison. C'est pourquoi, encore qu'il soit
bon d'être né avec quelque inclination à cette
passion, parce que cela nous dispose à l'acquisition des sciences; nous devons toutefois
tâcher par après de nous en délivrer le plus qu'il
est possible. Car il est aisé de suppléer à son
défaut par une réflexion et attention particulière, à laquelle notre volonté peut toujours
obliger notre entendement lorsque nous
jugeons que la chose qui se présente en vaut la

peine. Mais il n'y a point d'autre remède pour s'empêcher d'admirer avec excès que d'acquérir la connaissance de plusieurs choses, et de s'exercer en la considération de toutes celles qui peuvent sembler les plus rares et les plus étranges.

ART. 77. *Que ce ne sont ni les plus stupides ni les plus habiles qui sont le plus portés à l'admiration.*

Au reste, encore qu'il n'y ait que ceux qui sont hébétés et stupides qui ne sont point portés de leur naturel à l'admiration, ce n'est pas à dire que ceux qui ont le plus d'esprit y soient toujours le plus enclins; mais ce sont principalement ceux qui, bien qu'ils aient un sens commun assez bon, n'ont pas toutefois grande opinion de leur suffisance.

ART. 78. *Que son excès peut passer en habitude lorsque l'on manque de le corriger.*

Et bien que cette passion semble se diminuer par l'usage, à cause que plus on rencontre de choses rares qu'on admire, plus on s'accoutume à cesser de les admirer et à penser que toutes celles qui se peuvent présenter par après sont vulgaires. Toutefois, lorsqu'elle est excessive et qu'elle fait qu'on arrête seulement son attention sur la première image des objets qui se sont présentés, sans en acquérir d'autre connaissance, elle laisse après soi une habitude qui dispose l'âme à s'arrêter en même façon sur tous les autres objets qui se présentent, pourvu qu'ils lui paraissent tant soit peu nouveaux. Et c'est ce qui fait durer la maladie de ceux qui sont aveuglément curieux, c'est-à-dire qui recherchent les raretés seulement pour les admirer et non point pour les connaître : car ils deviennent peu à peu si admiratifs, que des choses de nulle importance ne sont pas moins capables de les arrêter que celles dont la recherche est plus utile.

Art. 79. *Les définitions de l'amour et de la haine.*

L'amour est une émotion de l'âme causée par le mouvement des esprits, qui l'incite à se joindre de volonté aux objets qui paraissent lui être convenables. Et la haine est une émotion causée par les esprits, qui incite l'âme à vouloir être séparée des objets qui se présentent à elle comme nuisibles. Je dis que ces émotions sont causées par les esprits, afin de distinguer l'amour et la haine, qui sont des passions et dépendent du corps, tant des jugements qui portent aussi l'âme à se joindre de volonté avec les choses qu'elle estime bonnes et à se séparer de celles qu'elle estime mauvaises, que des émotions que ces seuls jugements excitent en l'âme.

Art. 80. *Ce que c'est que se joindre ou séparer de volonté.*

Au reste, par le mot de volonté, je n'entends pas ici parler du désir, qui est une passion à part et se rapporte à l'avenir, mais du consentement par lequel on se considère dès à présent comme joint avec ce qu'on aime : en sorte qu'on imagine un tout duquel on pense être seulement une partie, et que la chose aimée en est une autre. Comme, au contraire, en la haine on se considère seul comme un tout entièrement séparé de la chose pour laquelle on a de l'aversion.

ART. 81. *De la distinction qu'on a coutume de faire entre l'amour de concupiscence et de bienveillance.*

Or, on distingue communément deux sortes d'amour, l'une desquelles est nommée amour de bienveillance, c'est-à-dire qui incite à vouloir du bien à ce qu'on aime; l'autre est nommée amour de concupiscence, c'est-à-dire qui fait désirer la chose qu'on aime. Mais il me semble que cette distinction regarde seulement les effets de l'amour, et non point son essence. Car sitôt qu'on s'est joint de volonté à quelque objet, de quelque nature qu'il soit, on a pour lui de la bienveillance, c'est-à-dire on joint aussi à lui de volonté les choses qu'on croit lui être convenables : ce qui est un des principaux effets de l'amour. Et si on juge que ce soit un bien de le posséder ou d'être associé avec lui d'autre façon que de volonté, on le désire : ce qui est aussi l'un des plus ordinaires effets de l'amour.

ART. 82. *Comment des passions fort différentes conviennent en ce qu'elles participent de l'amour.*

Il n'est pas besoin aussi de distinguer autant d'espèces d'amour qu'il y a de divers objets qu'on peut aimer. Car, par exemple, encore que les passions qu'un ambitieux a pour la gloire, un avaricieux pour l'argent, un ivrogne pour le vin, un brutal pour une femme qu'il veut violer, un homme d'honneur pour son ami ou pour sa maîtresse, et un bon père pour ses enfants, soient bien différentes entre elles, toutefois en ce qu'elles participent de l'amour elles sont semblables. Mais les quatre premiers n'ont de l'amour que pour la possession des objets auxquels se rapporte leur passion, et n'en ont point pour les objets mêmes, pour lesquels ils ont seulement du désir mêlé avec d'autres passions particulières. Au lieu que l'amour qu'un bon père a pour ses enfants est si pur qu'il ne désire rien avoir d'eux, et ne veut point les posséder autrement qu'il fait, ni être joint à eux plus étroitement qu'il est déjà : mais, les considérant comme d'autres soi-même, il recherche leur bien comme le sien propre, ou même avec plus de soin, parce que, se représentant que lui et eux font un tout dont il n'est pas la meilleure partie, il préfère souvent leurs intérêts aux siens et ne craint pas de se perdre pour les sauver. L'affection que les gens d'honneur ont pour leurs amis est de cette même nature, bien qu'elle soit rarement si parfaite ; et celle qu'ils ont pour leur maîtresse en participe beaucoup, mais elle participe aussi un peu de l'autre.

Art. 83. *De la différence qui est entre la simple affection, l'amitié et la dévotion.*

On peut, ce me semble, avec meilleure raison, distinguer l'amour par l'estime qu'on fait de ce qu'on aime, à comparaison de soi-même. Car lorsqu'on estime l'objet de son amour moins que soi, on n'a pour lui qu'une simple affection ; lorsqu'on l'estime à l'égal de soi, cela se nomme amitié, et lorsqu'on l'estime davantage, la passion qu'on a peut être nommée dévotion. Ainsi on peut avoir de l'affection pour une fleur, pour un oiseau, pour un cheval ; mais, à moins que d'avoir l'esprit fort déréglé, on ne peut avoir de l'amitié que pour des hommes. Et ils sont tellement l'objet de cette passion, qu'il n'y a point d'homme si imparfait qu'on ne puisse avoir pour lui une amitié très parfaite lorsqu'on pense qu'on en est aimé et qu'on a l'âme véritablement noble et généreuse : suivant ce qui sera expliqué ci-après en l'article 154 et 156. Pour ce qui est de la dévotion, son principal objet est sans doute la souveraine Divinité, à laquelle on ne saurait manquer d'être dévot lorsqu'on la connaît comme il faut ; mais on peut aussi avoir de la dévotion pour son prince, pour son pays, pour sa ville, et même pour un homme particulier, lorsqu'on l'estime beaucoup plus que soi. Or, la différence qui est entre ces trois sortes d'amour paraît principalement par leurs effets : car, d'autant qu'en toutes on se considère comme joint et uni à la chose aimée, on est toujours prêt d'abandonner la moindre partie du tout qu'on compose avec elle pour conserver l'autre.

Ce qui fait qu'en la simple affection l'on se préfère toujours à ce qu'on aime ; et qu'au contraire en la dévotion l'on préfère tellement la chose aimée à soi-même qu'on ne craint pas de mourir pour la conserver. De quoi on a vu souvent des exemples en ceux qui se sont exposés à une mort certaine pour la défense de leur prince ou de leur ville, et même aussi quelquefois pour des personnes particulières auxquelles ils s'étaient dévoués.

Art. 84. *Qu'il n'y a pas tant d'espèces de haine que d'amour.*

Au reste, encore que la haine soit directement opposée à l'amour, on ne la distingue pas toutefois en autant d'espèces : à cause qu'on ne remarque pas tant la différence qui est entre les maux desquels on est séparé de volonté qu'on fait celle qui est entre les biens auxquels on est joint.

Art. 85. *De l'agrément et de l'horreur.*

Et je ne trouve qu'une seule distinction considérable qui soit pareille en l'une et en l'autre. Elle consiste en ce que les objets tant de l'amour que de la haine peuvent être représentés à l'âme par les sens extérieurs, ou bien par les intérieurs et par sa propre raison. Car nous appelons communément bien ou mal ce que nos sens intérieurs ou notre raison nous font juger convenable ou contraire à notre nature ;

mais nous appelons beau ou laid ce qui nous
est ainsi représenté par nos sens extérieurs,
principalement par celui de la vue, lequel seul
est plus considéré que tous les autres. D'où
naissent deux espèces d'amour, à savoir, celle
qu'on a pour les choses bonnes, et celle qu'on a
pour les belles, à laquelle on peut donner le
nom d'agrément, afin de ne la pas confondre
avec l'autre, ni aussi avec le désir, auquel on
attribue souvent le nom d'amour. Et de là
naissent en même façon deux espèces de haine,
l'une desquelles se rapporte aux choses mauvaises, l'autre à celles qui sont laides ; et cette
dernière peut être appelée horreur ou aversion,
afin de la distinguer. Mais ce qu'il y a ici de plus
remarquable, c'est que ces passions d'agrément
et d'horreur ont coutume d'être plus violentes
que les autres espèces d'amour ou de haine, à
cause que ce qui vient à l'âme par les sens la
touche plus fort que ce qui lui est représenté
par sa raison ; et que toutefois elles ont ordinairement moins de vérité : en sorte que de
toutes les passions, ce sont celles-ci qui
trompent le plus, et dont on doit le plus soigneusement se garder.

Art. 86. *La définition du désir.*

La passion du désir est une agitation de l'âme
causée par les esprits qui la dispose à vouloir
pour l'avenir les choses qu'elle se représente
être convenables. Ainsi on ne désire pas seulement la présence du bien absent, mais aussi la
conservation du présent ; et de plus l'absence

du mal, tant de celui qu'on a déjà que de celui qu'on croit pouvoir recevoir au temps à venir.

Art. 87. *Que c'est une passion qui n'a point de contraire.*

Je sais bien que communément dans l'École on oppose la passion qui tend à la recherche du bien, laquelle seule on nomme désir, à celle qui tend à la fuite du mal, laquelle on nomme aversion. Mais, d'autant qu'il n'y a aucun bien dont la privation ne soit un mal ; ni aucun mal considéré comme une chose positive dont la privation ne soit un bien ; et qu'en recherchant, par exemple, les richesses, on fuit nécessairement la pauvreté, en fuyant les maladies on recherche la santé, et ainsi des autres ; il me semble que c'est toujours un même mouvement qui porte à la recherche du bien, et ensemble à la fuite du mal qui lui est contraire. J'y remarque seulement cette différence, que le désir qu'on a lorsqu'on tend vers quelque bien est accompagné d'amour et ensuite d'espérance et de joie ; au lieu que le même désir, lorsqu'on tend à s'éloigner du mal contraire à ce bien, est accompagné de haine, de crainte et de tristesse ; ce qui est cause qu'on le juge contraire à soi-même. Mais si on veut le considérer lorsqu'il se rapporte également en même temps à quelque bien pour le rechercher, et au mal opposé pour l'éviter, on peut voir très évidemment que ce n'est qu'une seule passion qui fait l'un et l'autre.

Art. 88. *Quelles sont ses diverses espèces.*

Il y aurait plus de raison de distinguer le désir en autant de diverses espèces qu'il y a de divers objets qu'on recherche. Car, par exemple, la curiosité, qui n'est autre chose qu'un désir de connaître, diffère beaucoup du désir de gloire, et celui-ci du désir de vengeance, et ainsi des autres. Mais il suffit ici de savoir qu'il y en a autant que d'espèces d'amour ou de haine, et que les plus considérables et les plus forts sont ceux qui naissent de l'agrément et de l'horreur.

Art. 89. *Quel est le désir qui naît de l'horreur.*

Or, encore que ce ne soit qu'un même désir qui tend à la recherche d'un bien et à la fuite du mal qui lui est contraire, ainsi qu'il a été dit : le désir qui naît de l'agrément ne laisse pas d'être fort différent de celui qui naît de l'horreur. Car cet agrément et cette horreur, qui véritablement sont contraires, ne sont pas le bien et le mal qui servent d'objets à ces désirs, mais seulement deux émotions de l'âme qui la disposent à rechercher deux choses fort différentes. A savoir, l'horreur est instituée de la nature pour représenter à l'âme une mort subite et inopinée : en sorte que, bien que ce ne soit quelquefois que l'attouchement d'un vermisseau, ou le bruit d'une feuille tremblante, ou son ombre, qui fait avoir de l'horreur, on sent d'abord autant d'émotion que si un péril de mort très évident s'offrait aux sens. Ce qui fait subitement naître l'agitation qui porte l'âme à employer toutes ses forces pour éviter un mal si présent. Et c'est cette espèce de désir qu'on appelle communément la fuite ou l'aversion.

Art. 90. *Quel est celui qui naît de l'agrément.*

Au contraire, l'agrément est particulièrement institué de la nature pour représenter la jouissance de ce qui agrée comme le plus grand de tous les biens qui appartiennent à l'homme : ce qui fait qu'on désire très ardemment cette jouissance. Il est vrai qu'il y a diverses sortes d'agréments, et que les désirs qui en naissent ne sont pas tous également puissants. Car, par exemple, la beauté des fleurs nous incite seulement à les regarder, et celle des fruits à les manger. Mais le principal est celui qui vient des perfections qu'on imagine en une personne qu'on pense pouvoir devenir un autre soi-même : car, avec la différence du sexe, que la nature a mise dans les hommes ainsi que dans les animaux sans raison, elle a mis aussi certaines impressions dans le cerveau qui font qu'en certain âge et en certain temps on se considère comme défectueux et comme si on n'était que la moitié d'un tout dont une personne de l'autre sexe doit être l'autre moitié : en sorte que l'acquisition de cette moitié est confusément représentée par la nature comme le plus grand de tous les biens imaginables. Et encore qu'on voie plusieurs personnes de cet autre sexe, on n'en souhaite pas pour cela plusieurs en même temps, d'autant que la nature ne fait point imaginer qu'on ait besoin de plus d'une moitié. Mais lorsqu'on remarque quelque chose en une qui agrée davantage que ce qu'on remarque au même temps dans les autres, cela détermine l'âme à sentir pour celle-là seule toute l'inclination que la nature lui donne à rechercher le bien qu'elle lui représente comme le plus grand qu'on puisse posséder. Et cette inclination ou ce désir qui naît ainsi de l'agrément est appelé du nom d'amour plus ordinairement que la passion d'amour qui a ci-dessus été décrite. Aussi a-t-il de plus étranges effets, et c'est lui qui sert de principale matière aux faiseurs de romans et aux poètes.

Art. 91. *La définition de la joie.*

La joie est une agréable émotion de l'âme, en laquelle consiste la jouissance qu'elle a du bien que les impressions du cerveau lui représentent comme sien. Je dis que c'est en cette émotion que consiste la jouissance du bien : car en effet l'âme ne reçoit aucun autre fruit de tous les biens qu'elle possède ; et pendant qu'elle n'en a aucune joie, on peut dire qu'elle n'en jouit pas plus que si elle ne les possédait point. J'ajoute aussi que c'est du bien que les impressions du cerveau lui représentent comme sien, afin de ne pas confondre cette joie, qui est une passion, avec la joie purement intellectuelle, qui vient en l'âme par la seule action de l'âme, et qu'on peut dire être une agréable émotion excitée en elle par elle-même, en laquelle consiste la jouissance qu'elle a du bien que son entendement lui représente comme sien. Il est vrai que pendant que l'âme est jointe au corps cette joie intellectuelle ne peut guère manquer d'être accompagnée de celle qui est une passion. Car, sitôt que notre entendement s'aperçoit que nous possédons quelque bien, encore que ce bien puisse être si différent de tout ce qui appartient au corps qu'il ne soit point du tout imaginable, l'imagination ne laisse pas de faire incontinent quelque impression dans le cerveau, de laquelle suit le mouvement des esprits qui excite la passion de la joie.

Art. 92. *La définition de la tristesse.*

La tristesse est une langueur désagréable en laquelle consiste l'incommodité que l'âme reçoit du mal, ou du défaut que les impressions du cerveau lui représentent comme lui appartenant. Et il y a aussi une tristesse intellectuelle qui n'est pas la passion, mais qui ne manque guère d'en être accompagnée.

Art. 93. *Quelles sont les causes de ces deux passions.*

Or, lorsque la joie ou la tristesse intellectuelle excite ainsi celle qui est une passion, leur cause est assez évidente; et on voit de leurs définitions que la joie vient de l'opinion qu'on a de posséder quelque bien, et la tristesse, de l'opinion qu'on a d'avoir quelque mal ou quelque défaut. Mais il arrive souvent qu'on se sent

triste ou joyeux sans qu'on puisse ainsi distinctement remarquer le bien ou le mal qui en
sont les causes; à savoir, lorsque ce bien ou ce
mal font leurs impressions dans le cerveau sans
l'entremise de l'âme, quelquefois à cause qu'ils
n'appartiennent qu'au corps; et quelquefois
aussi, encore qu'ils appartiennent à l'âme, à
cause qu'elle ne les considère pas comme bien
et mal, mais sous quelque autre forme dont
l'impression est jointe avec celle du bien et du
mal dans le cerveau.

Art. 94. *Comment ces passions sont excitées
par des biens et des maux qui ne regardent que le
corps : et en quoi consistent le chatouillement et
la douleur.*

Ainsi lorsqu'on est en pleine santé et que le
temps est plus serein que de coutume, on sent
en soi une gaieté qui ne vient d'aucune fonction
de l'entendement, mais seulement des impressions que le mouvement des esprits fait dans le
cerveau; et l'on se sent triste en même façon
lorsque le corps est indisposé, encore qu'on ne
sache point qu'il le soit. Ainsi le chatouillement
des sens est suivi de si près par la joie, et la douleur par la tristesse, que la plupart des hommes
ne les distinguent point. Toutefois, ils diffèrent
si fort qu'on peut quelquefois souffrir des douleurs avec joie, et recevoir des chatouillements
qui déplaisent. Mais la cause qui fait que pour
l'ordinaire la joie suit du chatouillement est que
tout ce qu'on nomme chatouillement ou sentiment agréable consiste en ce que les objets des

sens excitent quelque mouvement dans les
nerfs qui serait capable de leur nuire s'ils
n'avaient pas assez de force pour lui résister ou
que le corps ne fût pas bien disposé, ce qui fait
une impression dans le cerveau, laquelle étant
instituée de la nature pour témoigner cette
bonne disposition et cette force, la représente à
l'âme comme un bien qui lui appartient, en tant
qu'elle est unie avec le corps, et ainsi excite en
elle la joie. C'est presque la même raison qui
fait qu'on prend naturellement plaisir à se sentir émouvoir à toutes sortes de passions, même
à la tristesse et à la haine, lorsque ces passions
ne sont causées que par les aventures étranges
qu'on voit représenter sur un théâtre, ou par
d'autres pareils sujets, qui, ne pouvant nous
nuire en aucune façon, semblent chatouiller
notre âme en la touchant. Et la cause qui fait
que la douleur produit ordinairement la tristesse est que le sentiment qu'on nomme douleur vient toujours de quelque action si violente
qu'elle offense les nerfs ; en sorte qu'étant institué de la nature pour signifier à l'âme le dom-
mage que reçoit le corps par cette action, et sa
faiblesse en ce qu'il ne lui a pu résister, il lui
représente l'un et l'autre comme des maux qui
lui sont toujours désagréables, excepté
lorsqu'ils causent quelques biens qu'elle estime
plus qu'eux.

Art. 95. *Comment elles peuvent aussi être exci-*
tées par des biens et des maux que l'âme ne
remarque point, encore qu'ils lui appartiennent.
Comme sont le plaisir qu'on prend à se hasarder
ou à se souvenir du mal passé.

Ainsi le plaisir que prennent souvent les
jeunes gens à entreprendre des choses difficiles
et à s'exposer à de grands périls, encore même
qu'ils n'en espèrent aucun profit ni aucune
gloire, vient en eux de ce que la pensée qu'ils
ont que ce qu'ils entreprennent est difficile fait
une impression dans leur cerveau, qui étant
jointe avec celle qu'ils pourraient former s'ils
pensaient que c'est un bien de se sentir assez
courageux, assez heureux, assez adroit ou assez
fort pour oser se hasarder à tel point, est cause
qu'ils y prennent plaisir. Et le contentement
qu'ont les vieillards lorsqu'ils se souviennent
des maux qu'ils ont soufferts, vient de ce qu'ils
se représentent que c'est un bien d'avoir pu
nonobstant cela subsister.

Art. 96. *Quels sont les mouvements du sang et*
des esprits qui causent les cinq passions pré-
cédentes.

Les cinq passions que j'ai ici commencé à
expliquer sont tellement jointes ou opposées les
unes aux autres, qu'il est plus aisé de les considérer toutes ensemble que de traiter séparément de chacune, ainsi qu'il a été traité de
l'admiration. Et leur cause n'est pas comme la
sienne dans le cerveau seul, mais aussi dans le

cœur, dans la rate, dans le foie et dans toutes les autres parties du corps, en tant qu'elles servent à la production du sang et ensuite des esprits. Car, encore que toutes les veines conduisent le sang qu'elles contiennent vers le cœur, il arrive néanmoins quelquefois que celui de quelques-unes y est poussé avec plus de force que celui des autres ; et il arrive aussi que les ouvertures par où il entre dans le cœur, ou bien celles par où il en sort, sont plus élargies ou plus resserrées une fois que l'autre.

Art. 97. *Les principales expériences qui servent à connaître ces mouvements en l'amour.*

Or, en considérant les diverses altérations que l'expérience fait voir dans notre corps pendant que notre âme est agitée de diverses passions, je remarque en l'amour, quand elle est seule, c'est-à-dire, quand elle n'est accompagnée d'aucune forte joie, ou désir, ou tristesse, que le battement du pouls est égal et beaucoup plus grand et plus fort que de coutume, qu'on sent une douce chaleur dans la poitrine, et que la digestion des viandes se fait fort promptement dans l'estomac : en sorte que cette passion est utile pour la santé.

Art. 98. *En la haine.*

Je remarque, au contraire, en la haine, que le pouls est inégal et plus petit, et souvent plus vite ; qu'on sent des froideurs entremêlées de je ne sais quelle chaleur âpre et piquante dans la poitrine, que l'estomac cesse de faire son office et est enclin à vomir et rejeter les viandes qu'on a mangées, ou du moins à les corrompre et convertir en mauvaises humeurs.

ART. 99. *En la joie.*

En la joie, que le pouls est égal et plus vite qu'à l'ordinaire, mais qu'il n'est pas si fort ou si grand qu'en l'amour, et qu'on sent une chaleur agréable qui n'est pas seulement en la poitrine, mais qui se répand aussi en toutes les parties extérieures du corps avec le sang qu'on voit y venir en abondance ; et que cependant on perd quelquefois l'appétit, à cause que la digestion se fait moins que de coutume.

ART. 100. *En la tristesse.*

En la tristesse, que le pouls est faible et lent, et qu'on sent comme des liens autour du cœur, qui le serrent, et des glaçons qui le gèlent et communiquent leur froideur au reste du corps ; et que cependant on ne laisse pas d'avoir quelquefois bon appétit et de sentir que l'estomac ne manque point à faire son devoir, pourvu qu'il n'y ait point de haine mêlée avec la tristesse.

ART. 101. *Au désir.*

Enfin je remarque cela de particulier dans le désir, qu'il agite le cœur plus violemment qu'aucune des autres passions, et fournit au cerveau plus d'esprits; lesquels, passant de là dans les muscles, rendent tous les sens plus aigus et toutes les parties du corps plus mobiles.

Art. 102. *Le mouvement du sang et des esprits en l'amour.*

Ces observations, et plusieurs autres qui seraient trop longues à écrire, m'ont donné sujet de juger que, lorsque l'entendement se représente quelque objet d'amour, l'impression que cette pensée fait dans le cerveau conduit les esprits animaux, par les nerfs de la sixième paire, vers les muscles qui sont autour des intestins et de l'estomac, en la façon qui est requise pour faire que le suc des viandes, qui se convertit en nouveau sang, passe promptement vers le cœur sans s'arrêter dans le foie, et qu'y étant poussé avec plus de force que celui qui est dans les autres parties du corps, il y entre en plus grande abondance et y excite une chaleur plus forte, à cause qu'il est plus grossier que celui qui a déjà été raréfié plusieurs fois en passant et repassant par le cœur. Ce qui fait qu'il envoie aussi des esprits vers le cerveau, dont les parties sont plus grosses et plus agitées qu'à l'ordinaire : et ces esprits, fortifiant l'impression que la première pensée de l'objet aimable y a faite, obligent l'âme à s'arrêter sur cette pensée; et c'est en cela que consiste la passion d'amour.

Art. 103. *En la haine.*

Au contraire, en la haine, la première pensée de l'objet qui donne de l'aversion conduit tellement les esprits qui sont dans le cerveau vers les muscles de l'estomac et des intestins, qu'ils empêchent que le suc des viandes ne se mêle avec le sang en resserrant toutes les ouvertures par où il a coutume d'y couler ; et elle les conduit aussi tellement vers les petits nerfs de la rate et de la partie inférieure du foie, où est le réceptacle de la bile, que les parties du sang qui ont coutume d'être rejetées vers ces endroits-là en sortent et coulent avec celui qui est dans les rameaux de la veine cave vers le cœur. Ce qui cause beaucoup d'inégalités en sa chaleur ; d'autant que le sang qui vient de la rate ne s'échauffe et se raréfie qu'à peine, et qu'au contraire, celui qui vient de la partie inférieure du foie, où est toujours le fiel, s'embrase et se dilate fort promptement. En suite de quoi les esprits qui vont au cerveau ont aussi des parties fort inégales et des mouvements fort extraordinaires ; d'où vient qu'ils y fortifient les idées de haine qui s'y trouvent déjà imprimées, et disposent l'âme à des pensées qui sont pleines d'aigreur et d'amertume.

Art. 104. *En la joie.*

En la joie ce ne sont pas tant les nerfs de la rate, du foie, de l'estomac ou des intestins qui agissent, que ceux qui sont en tout le reste du corps ; et particulièrement celui qui est autour des orifices du cœur, lequel, ouvrant et élargissant ces orifices, donne moyen au sang que les autres nerfs chassent des veines vers le cœur d'y entrer et d'en sortir en plus grande quantité que de coutume. Et parce que le sang qui entre alors dans le cœur y a déjà passé et repassé plusieurs fois, étant venu des artères dans les veines, il se dilate fort aisément et produit des esprits dont les parties, étant fort égales et subtiles, sont propres à former et fortifier les impressions du cerveau qui donnent à l'âme des pensées gaies et tranquilles.

Art. 105. *En la tristesse.*

Au contraire, en la tristesse les ouvertures du cœur sont fort rétrécies par le petit nerf qui les environne, et le sang des veines n'est aucunement agité : ce qui fait qu'il en va fort peu vers le cœur. Et cependant les passages par où le suc des viandes coule de l'estomac et des intestins vers le foie demeurent ouverts ; ce qui fait que l'appétit ne diminue point, excepté lorsque la haine, laquelle est souvent jointe à la tristesse, les ferme.

Art. 106. *Au désir.*

Enfin la passion du désir a cela de propre, que la volonté qu'on a d'obtenir quelque bien ou de fuir quelque mal envoie promptement les esprits du cerveau vers toutes les parties du corps qui peuvent servir aux actions requises

pour cet effet; et particulièrement vers le cœur
et les parties qui lui fournissent le plus de sang,
afin qu'en recevant plus grande abondance que
de coutume, il envoie plus grande quantité
d'esprits vers le cerveau, tant pour y entretenir
et fortifier l'idée de cette volonté que pour passer de là dans tous les organes des sens et tous
les muscles qui peuvent être employés pour
obtenir ce qu'on désire.

ART. 107. *Quelle est la cause de ces mouve-ments en l'amour.*

Et je déduis les raisons de tout ceci de ce qui
a été dit ci-dessus, qu'il y a telle liaison entre
notre âme et notre corps, que lorsque nous
avons une fois joint quelque action corporelle
avec quelque pensée, l'une des deux ne se présente point à nous par après que l'autre ne s'y
présente aussi. Comme on voit en ceux qui ont
pris avec grande aversion quelque breuvage
étant malades, qu'ils ne peuvent rien boire ou
manger par après qui en approche du goût,
sans avoir derechef la même aversion. Et
pareillement qu'ils ne peuvent penser à l'aversion qu'on a des médecines, que le même goût
ne leur revienne en la pensée. Car il me semble
que les premières passions que notre âme a
eues lorsqu'elle a commencé d'être jointe à
notre corps ont dû être que quelquefois le sang,
ou autre suc qui entrait dans le cœur, était un
aliment plus convenable que l'ordinaire pour y
entretenir la chaleur, qui est le principe de la
vie; ce qui était cause que l'âme joignait à soi

de volonté cet aliment, c'est-à-dire l'aimait ; et
en même temps les esprits coulaient du cerveau
vers les muscles, qui pouvaient presser ou agiter les parties d'où il était venu vers le cœur,
pour faire qu'elles lui en envoyassent davantage ; et ces parties étaient l'estomac et les intestins, dont l'agitation augmente l'appétit, ou
bien aussi le foie et le poumon, que les muscles
du diaphragme peuvent presser. C'est pourquoi
ce même mouvement des esprits a toujours
accompagné depuis la passion d'amour.

Art. 108. *En la haine.*

Quelquefois, au contraire, il venait quelque
suc étranger vers le cœur, qui n'était pas propre
à entretenir la chaleur, ou même qui la pouvait
éteindre : ce qui était cause que les esprits qui
montaient du cœur au cerveau excitaient en
l'âme la passion de la haine. Et en même temps
aussi ces esprits allaient du cerveau vers les
nerfs qui pouvaient pousser du sang de la rate
et des petites veines du foie vers le cœur, pour
empêcher ce suc nuisible d'y entrer ; et de plus
vers ceux qui pouvaient repousser ce même suc
vers les intestins et vers l'estomac, ou aussi
quelquefois obliger l'estomac à le vomir. D'où
vient que ces mêmes mouvements ont coutume
d'accompagner la passion de la haine. Et on
peut voir à l'œil qu'il y a dans le foie quantité de
veines ou conduits assez larges par où le suc
des viandes peut passer de la veine porte en la
veine cave, et de là au cœur, sans s'arrêter
aucunement au foie ; mais qu'il y en a aussi une

infinité d'autres plus petites où il peut s'arrêter, et qui contiennent toujours du sang de réserve, ainsi que fait aussi la rate ; lequel sang, étant plus grossier que celui qui est dans les autres parties du corps, peut mieux servir d'aliment au feu qui est dans le cœur quand l'estomac et les intestins manquent de lui en fournir.

ART. 109. *En la joie.*

Il est aussi quelquefois arrivé au commencement de notre vie que le sang contenu dans les veines était un aliment assez convenable pour entretenir la chaleur du cœur, et qu'elles en contenaient en telle quantité qu'il n'avait pas besoin de tirer aucune nourriture d'ailleurs. Ce qui a excité en l'âme la passion de la joie ; et a fait en même temps que les orifices du cœur se sont plus ouverts que de coutume ; et que les esprits coulant abondamment du cerveau, non seulement dans les nerfs qui servent à ouvrir ces orifices, mais aussi généralement en tous les autres qui poussent le sang des veines vers le cœur, empêchent qu'il n'y en vienne de nouveau du foie, de la rate, des intestins et de l'estomac. C'est pourquoi ces mêmes mouvements accompagnent la joie.

ART. 110. *En la tristesse.*

Quelquefois, au contraire, il est arrivé que le corps a eu faute de nourriture, et c'est ce qui doit avoir fait sentir à l'âme sa première tristesse, au moins celle qui n'a point été jointe à la haine. Cela même a fait aussi que les orifices du cœur se sont étrécis, à cause qu'ils ne reçoivent que peu de sang, et qu'une assez notable partie de ce sang est venue de la rate, à cause qu'elle est comme le dernier réservoir qui sert à en fournir au cœur lorsqu'il ne lui en vient pas assez d'ailleurs. C'est pourquoi les mouvements des esprits et des nerfs qui servent à étrécir ainsi les orifices du cœur et à y conduire du sang de la rate accompagnent toujours la tristesse.

Art. 111. *Au désir.*

Enfin, tous les premiers désirs que l'âme peut avoir eus lorsqu'elle était nouvellement jointe au corps ont été de recevoir les choses qui lui étaient convenables, et de repousser celles qui lui étaient nuisibles. Et ç'a été pour ces mêmes effets que les esprits ont commencé dès lors à mouvoir tous les muscles et tous les organes des sens en toutes les façons qu'ils les peuvent mouvoir. Ce qui est cause que maintenant, lorsque l'âme désire quelque chose, tout le corps devient plus agile et plus disposé à se mouvoir qu'il n'a coutume d'être sans cela. Et lorsqu'il arrive d'ailleurs que le corps est ainsi disposé, cela rend les désirs de l'âme plus forts et plus ardents.

Art. 112. *Quels sont les signes extérieurs de ces passions.*

Ce que j'ai mis ici fait assez entendre la cause des différences du pouls et de toutes les autres propriétés que j'ai ci-dessus attribuées à ces passions, sans qu'il soit besoin que je m'arrête à les expliquer davantage. Mais, parce que j'ai seulement remarqué en chacune ce qui s'y peut observer lorsqu'elle est seule, et qui sert à connaître les mouvements du sang et des esprits qui les produisent, il me reste encore à traiter de plusieurs signes extérieurs qui ont coutume de les accompagner, et qui se remarquent bien mieux lorsqu'elles sont mêlées plusieurs ensemble, ainsi qu'elles ont coutume d'être, que lorsqu'elles sont séparées. Les principaux de ces signes sont les actions des yeux et du visage, les changements de couleur, les tremblements, la langueur, la pâmoison, les ris, les larmes, les gémissements et les soupirs.

ART. 113. *Des actions des yeux et du visage.*

Il n'y a aucune passion que quelque particulière action des yeux ne déclare : et cela est si manifeste en quelques-unes, que même les valets les plus stupides peuvent remarquer à l'œil de leur maître s'il est fâché contre eux ou s'il ne l'est pas. Mais encore qu'on aperçoive aisément ces actions des yeux et qu'on sache ce qu'elles signifient, il n'est pas aisé pour cela de les décrire, à cause que chacune est composée de plusieurs changements qui arrivent au mouvement et en la figure de l'œil, lesquels sont si particuliers et si petits, que chacun d'eux ne peut être aperçu séparément, bien que ce qui résulte de leur conjonction soit fort aisé à remarquer. On peut dire quasi le même des actions du visage qui accompagnent aussi les passions : car, bien qu'elles soient plus grandes que celles des yeux, il est toutefois malaisé de les distinguer ; et elles sont si peu différentes qu'il y a des hommes qui font presque la même mine lorsqu'ils pleurent que les autres lorsqu'ils rient. Il est vrai qu'il y en a quelques-unes qui sont assez remarquables, comme sont les rides du front, en la colère, et certains mouvements du nez et des lèvres en l'indignation et en la moquerie ; mais elles ne semblent pas tant être naturelles que volontaires. Et généralement toutes les actions, tant du visage que des yeux, peuvent être changées par l'âme lorsque, voulant cacher sa passion, elle en imagine fortement une contraire : en sorte qu'on s'en peut aussi bien servir à dissimuler ses passions qu'à les déclarer.

Art. 114. *Des changements de couleur.*

On ne peut pas si facilement s'empêcher de rougir ou de pâlir lorsque quelque passion y dispose : parce que ces changements ne dépendent pas des nerfs et des muscles, ainsi que les précédents ; et qu'ils viennent plus immédiatement du cœur, lequel on peut nommer la source des passions, en tant qu'il prépare le sang et les esprits à les produire. Or, il est certain que la couleur du visage ne vient que du sang, lequel, coulant continuellement du cœur par les artères en toutes les veines, et de toutes les veines dans le cœur, colore plus ou moins le visage, selon qu'il remplit plus ou moins les petites veines qui vont vers sa superficie.

ART. 115. *Comment la joie fait rougir.*

Ainsi la joie rend la couleur plus vive et plus vermeille, parce qu'en ouvrant les écluses du cœur elle fait que le sang coule plus vite en toutes les veines ; et que, devenant plus chaud et plus subtil, il enfle médiocrement toutes les parties du visage : ce qui en rend l'air plus riant et plus gai.

ART. 116. *Comment la tristesse fait pâlir.*

La tristesse, au contraire, en étrécissant les orifices du cœur, fait que le sang coule plus lentement dans les veines, et que, devenant plus froid et plus épais, il a besoin d'y occuper moins de place ; en sorte que, se retirant dans les plus larges, qui sont les plus proches du cœur, il quitte les plus éloignées, dont les plus apparentes étant celles du visage, cela le fait paraître pâle et décharné : principalement lorsque la tristesse est grande ou qu'elle survient promptement, comme on voit en l'épouvante, dont la surprise augmente l'action qui serre le cœur.

ART. 117. *Comment on rougit souvent étant triste.*

Mais il arrive souvent qu'on ne pâlit point étant triste, et qu'au contraire on devient rouge. Ce qui doit être attribué aux autres passions qui se joignent à la tristesse, à savoir à l'amour ou au désir, et quelquefois aussi à la haine. Car ces passions échauffant ou agitant le sang qui vient du foie, des intestins et des autres parties intérieures, le poussent vers le cœur, et de là, par la grande artère, vers les veines du visage, sans que la tristesse qui serre de part et d'autre les orifices du cœur le puisse empêcher, excepté lorsqu'elle est fort excessive. Mais, encore qu'elle ne soit que médiocre, elle empêche aisément que le sang ainsi venu dans les veines du visage ne descende vers le cœur pendant que l'amour, le désir ou la haine y en poussent d'autres des parties intérieures. C'est pourquoi ce sang étant arrêté autour de la face, il la rend rouge ; et même plus rouge que pendant la joie, à cause que la couleur du sang paraît d'autant mieux qu'il coule moins vite, et aussi à cause qu'il s'en peut ainsi assembler davantage dans les veines de la face que lorsque les orifices du cœur sont plus ouverts. Ceci paraît principalement en la honte, laquelle est composée de l'amour de soi-même et d'un désir pressant d'éviter l'infamie présente : ce qui fait venir le sang des parties intérieures vers le cœur, puis de là par les artères vers la face ; et avec cela d'une médiocre tristesse qui empêche ce sang de retourner vers le cœur. Le même paraît aussi ordinairement lorsqu'on pleure ; car, comme je dirai ci-après, c'est l'amour joint à la tristesse qui cause la plupart des larmes. Et le même paraît en la colère, où souvent un prompt désir de vengeance est mêlé avec l'amour, la haine et la tristesse.

Art. 118. *Des tremblements.*

Les tremblements ont deux diverses causes : l'une est qu'il vient quelquefois trop peu d'esprits du cerveau dans les nerfs, et l'autre qu'il y en vient quelquefois trop pour pouvoir fermer bien justement les petits passages des muscles qui, suivant ce qui a été dit en l'article 11, doivent être fermés pour déterminer les mouvements des membres. La première cause paraît en la tristesse et en la peur, comme aussi lorsqu'on tremble de froid. Car ces passions peuvent, aussi bien que la froideur de l'air, tellement épaissir le sang, qu'il ne fournit pas assez d'esprits au cerveau pour en envoyer dans les nerfs. L'autre cause paraît souvent en ceux qui désirent ardemment quelque chose, et en ceux qui sont fort émus de colère, comme aussi en ceux qui sont ivres : car ces deux passions, aussi bien que le vin, font aller quelquefois tant d'esprits dans le cerveau qu'ils ne peuvent pas être réglément conduits de là dans les muscles.

Art. 119. *De la langueur.*

La langueur est une disposition à se relâcher et être sans mouvement, qui est sentie en tous les membres. Elle vient, ainsi que le tremblement, de ce qu'il ne va pas assez d'esprits dans les nerfs, mais d'une façon différente. Car la cause du tremblement est qu'il n'y en a pas assez dans le cerveau pour obéir aux déterminations de la glande lorsqu'elle les pousse vers quelque muscle ; au lieu que la langueur vient de ce que la glande ne les détermine point à aller vers aucuns muscles plutôt que vers d'autres.

ART. 120. *Comment elle est causée par l'amour et par le désir.*

Et la passion qui cause le plus ordinairement cet effet est l'amour ; jointe au désir d'une chose dont l'acquisition n'est pas imaginée comme possible pour le temps présent. Car l'amour occupe tellement l'âme à considérer l'objet aimé, qu'elle emploie tous les esprits qui sont dans le cerveau à lui en représenter l'image, et arrête tous les mouvements de la glande qui ne servent point à cet effet. Et il faut remarquer, touchant le désir, que la propriété que je lui ai attribuée de rendre le corps plus mobile ne lui convient que lorsqu'on imagine l'objet désiré être tel qu'on peut dès ce temps-là faire quelque chose qui serve à l'acquérir. Car si, au contraire, on imagine qu'il est impossible pour lors de rien faire qui y soit utile, toute l'agitation du désir demeure dans le cerveau, sans passer aucunement dans les nerfs ; et étant entièrement employée à y fortifier l'idée de l'objet désiré, elle laisse le reste du corps languissant.

ART. 121. *Qu'elle peut aussi être causée par d'autres passions.*

Il est vrai que la haine, la tristesse et même la joie peuvent causer aussi quelque langueur lorsqu'elles sont fort violentes ; à cause qu'elles occupent entièrement l'âme à considérer leur objet; principalement lorsque le désir d'une chose à l'acquisition de laquelle on ne peut rien contribuer au temps présent est joint avec elle. Mais parce qu'on s'arrête bien plus à considérer les objets qu'on joint à soi de volonté que ceux qu'on en sépare et qu'aucuns autres; et que la langueur ne dépend point d'une surprise, mais a besoin de quelque temps pour être formée, elle se rencontre bien plus en l'amour qu'en toutes les autres passions.

Art. 122. *De la pâmoison.*

La pâmoison n'est pas fort éloignée de la mort, car on meurt lorsque le feu qui est dans le cœur s'éteint tout à fait : et on tombe seulement en pâmoison lorsqu'il est étouffé en telle sorte qu'il demeure encore quelques restes de chaleur qui peuvent par après le rallumer. Or, il y a plusieurs indispositions du corps qui peuvent faire qu'on tombe ainsi en défaillance; mais entre les passions il n'y a que l'extrême joie qu'on remarque en avoir le pouvoir. Et la façon dont je crois qu'elle cause cet effet est qu'ouvrant extraordinairement les orifices du cœur, le sang des veines y entre si à coup et en si grande quantité, qu'il n'y peut être raréfié par la chaleur assez promptement pour lever les petites peaux qui ferment les entrées de ces veines : au moyen de quoi il étouffe le feu, lequel il a coutume d'entretenir lorsqu'il n'entre dans le cœur que par mesure.

Art. 123. *Pourquoi on ne pâme point de tristesse.*

Il semble qu'une grande tristesse qui survient inopinément doit tellement serrer les orifices du cœur qu'elle en peut aussi éteindre le feu; mais néanmoins on n'observe point que cela arrive, ou s'il arrive, c'est très rarement : dont je crois que la raison est qu'il ne peut guère y avoir si peu de sang dans le cœur qu'il ne suffise pour entretenir la chaleur lorsque ses orifices sont presque fermés.

Art. 124. *Du ris.*

Le ris consiste en ce que le sang qui vient de la cavité droite du cœur par la veine artérieuse, enflant les poumons subitement et à diverses reprises, fait que l'air qu'ils contiennent est contraint d'en sortir avec impétuosité par le sifflet, où il forme une voix inarticulée et éclatante; et tant les poumons en s'enflant, que cet air en sortant, poussent tous les muscles du diaphragme, de la poitrine et de la gorge : au moyen de quoi ils font mouvoir ceux du visage qui ont quelque connexion avec eux. Et ce n'est que cette action du visage, avec cette voix inarticulée et éclatante, qu'on nomme le ris.

Art. 125. *Pourquoi il n'accompagne point les plus grandes joies.*

Or, encore qu'il semble que le ris soit un des principaux signes de la joie, elle ne peut toutefois le causer que lorsqu'elle est seulement médiocre et qu'il y a quelque admiration ou quelque haine mêlée avec elle. Car on trouve par expérience que lorsqu'on est extraordinairement joyeux, jamais le sujet de cette joie ne fait qu'on éclate de rire; et même on ne peut pas si aisément y être invité par quelque autre cause, que lorsqu'on est triste. Dont la raison est que, dans les grandes joies, le poumon est toujours si plein de sang qu'il ne peut être davantage enflé par reprises.

ART. 126. *Quelles sont ses principales causes.*

Et je ne puis remarquer que deux causes qui fassent ainsi subitement enfler le poumon. La première est la surprise de l'admiration, laquelle, étant jointe à la joie, peut ouvrir si promptement les orifices du cœur, qu'une grande abondance de sang, entrant tout à coup en son côté droit par la veine cave, s'y raréfie, et passant de là par la veine artérieuse, enfle le poumon. L'autre est le mélange de quelque liqueur qui augmente la raréfaction du sang. Et je n'en trouve point de propre à cela que la plus coulante partie de celui qui vient de la rate, laquelle partie du sang étant poussée vers le cœur par quelque légère émotion de haine, aidée par la surprise de l'admiration, et s'y mêlant avec le sang qui vient des autres endroits du corps, lequel la joie y fait entrer en abondance, peut faire que ce sang s'y dilate beaucoup plus qu'à l'ordinaire. En même façon qu'on voit quantité d'autres liqueurs s'enfler tout à coup, étant sur le feu, lorsqu'on jette un

peu de vinaigre dans le vaisseau où elles sont.
Car la plus coulante partie du sang qui vient de
la rate est de nature semblable au vinaigre.
L'expérience aussi nous fait voir qu'en toutes
les rencontres qui peuvent produire ce ris écla-
tant qui vient du poumon, il y a toujours quelque petit sujet de haine, ou du moins d'admiration. Et ceux dont la rate n'est pas bien saine
sont sujets à être non seulement plus tristes,
mais aussi, par intervalles, plus gais et plus disposés à rire que les autres ; d'autant que la rate
envoie deux sortes de sang vers le cœur, l'un
fort épais et grossier, qui cause la tristesse ;
l'autre fort fluide et subtil, qui cause la joie. Et
souvent, après avoir beaucoup ri, on se sent
naturellement enclin à la tristesse, parce que, la
plus fluide partie du sang de la rate étant épui-
sée, l'autre, plus grossière, la suit vers le cœur.

ART. 127. *Quelle est sa cause en l'indignation.*

Pour le ris qui accompagne quelquefois
l'indignation, il est ordinairement artificiel et
feint. Mais lorsqu'il est naturel, il semble venir
de la joie qu'on a de ce qu'on voit ne pouvoir
être offensé par le mal dont on est indigné, et,
avec cela, de ce qu'on se trouve surpris par la
nouveauté ou par la rencontre inopinée de ce
mal. De façon que la joie, la haine et l'admiration y contribuent. Toutefois je veux croire qu'il
peut aussi être produit, sans aucune joie, par le
seul mouvement de l'aversion, qui envoie du
sang de la rate vers le cœur, où il est raréfié et
poussé de là dans le poumon, lequel il enfle

facilement lorsqu'il le rencontre presque vide.
Et généralement tout ce qui peut enfler subitement le poumon en cette façon cause l'action
extérieure du ris; excepté lorsque la tristesse la
change en celle des gémissements et des cris
qui accompagnent les larmes. A propos de quoi
Vivès écrit de soi-même que, lorsqu'il avait été
longtemps sans manger, les premiers morceaux
qu'il mettait en sa bouche l'obligeaient à rire :
ce qui pouvait venir de ce que son poumon,
vide de sang par faute de nourriture, était
promptement enflé par le premier suc qui pas-
sait de son estomac vers le cœur, et que la seule
imagination de manger y pouvait conduire,
avant même que celui des viandes qu'il mangeait y fût parvenu.

ART. 128. *De l'origine des larmes.*

Comme le ris n'est jamais causé par les plus
grandes joies, ainsi les larmes ne viennent point
d'une extrême tristesse, mais seulement de celle
qui est médiocre et accompagnée ou suivie de
quelque sentiment d'amour, ou aussi de joie.
Et, pour bien entendre leur origine, il faut
remarquer que, bien qu'il sorte continuellement quantité de vapeurs de toutes les parties
de notre corps, il n'y en a toutefois aucune dont
il en sorte tant que des yeux, à cause de la grandeur des nerfs optiques et de la multitude de
petites artères par où elles y viennent; et que,
comme la sueur n'est composée que des
vapeurs qui, sortant des autres parties, se
convertissent en eau sur leur superficie, ainsi

les larmes se font des vapeurs qui sortent des yeux.

ART. 129. *De la façon que les vapeurs se changent en eau.*

Or, comme j'ai écrit dans les *Météores*, en expliquant en quelle façon les vapeurs de l'air se convertissent en pluie, que cela vient de ce qu'elles sont moins agitées ou plus abondantes qu'à l'ordinaire ; ainsi je crois que lorsque celles qui sortent du corps sont beaucoup moins agitées que de coutume, encore qu'elles ne soient pas si abondantes, elles ne laissent pas de se convertir en eau : ce qui cause les sueurs froides qui viennent quelquefois de faiblesse quand on est malade. Et je crois que lorsqu'elles sont beaucoup plus abondantes, pourvu qu'elles ne soient pas avec cela plus agitées, elles se convertissent aussi en eau. Ce qui est cause de la sueur qui vient quand on fait quelque exercice. Mais alors les yeux ne suent point, parce que, pendant les exercices du corps, la plupart des esprits allant dans les muscles qui servent à le mouvoir, il en va moins par le nerf optique vers les yeux. Et ce n'est qu'une même matière qui compose le sang pendant qu'elle est dans les veines ou dans les artères ; et les esprits lorsqu'elle est dans le cerveau, dans les nerfs ou dans les muscles ; et les vapeurs lorsqu'elle en sort en forme d'air ; et enfin la sueur ou les larmes lorsqu'elle s'épaissit en eau sur la superficie du corps ou des yeux.

Art. 130. *Comment ce qui fait de la douleur à l'œil l'excite à pleurer.*

Et je ne puis remarquer que deux causes qui fassent que les vapeurs qui sortent des yeux se changent en larmes. La première est quand la figure des pores par où elles passent est changée par quelque accident que ce puisse être : car cela, retardant le mouvement de ces vapeurs et changeant leur ordre, peut faire qu'elles se convertissent en eau. Ainsi il ne faut qu'un fétu qui tombe dans l'œil pour en tirer quelques larmes : à cause qu'en y excitant de la douleur il change la disposition de ses pores : en sorte que, quelques-uns devenant plus étroits, les petites parties des vapeurs y passent moins vite ; et qu'au lieu qu'elles en sortaient auparavant également distantes les unes des autres, et ainsi demeuraient séparées, elles viennent à se rencontrer, à cause que l'ordre de ces pores est troublé, au moyen de quoi elles se joignent et ainsi se convertissent en larmes.

Art. 131. *Comment on pleure de tristesse.*

L'autre cause est la tristesse suivie d'amour ou de joie, ou généralement de quelque cause qui fait que le cœur pousse beaucoup de sang par les artères. La tristesse y est requise, à cause que, refroidissant tout le sang, elle étrécit les pores des yeux. Mais, parce qu'à mesure qu'elle les étrécit, elle diminue aussi la quantité des vapeurs auxquelles ils doivent donner passage, cela ne suffit pas pour produire des larmes si la quantité de ces vapeurs n'est à même temps augmentée par quelque autre cause. Et il n'y a rien qui l'augmente davantage que le sang qui est envoyé vers le cœur en la passion de l'amour. Aussi voyons-nous que ceux qui sont tristes ne jettent pas continuellement des larmes, mais seulement par intervalles, lorsqu'ils font quelque nouvelle réflexion sur les objets qu'ils affectionnent.

Art. 132. *Des gémissements qui accompagnent les larmes.*

Et alors les poumons sont aussi quelquefois enflés tout à coup par l'abondance du sang qui entre dedans et qui en chasse l'air qu'ils contenaient, lequel, sortant par le sifflet, engendre les gémissements et les cris qui ont coutume d'accompagner les larmes. Et ces cris sont ordinairement plus aigus que ceux qui accompagnent le ris, bien qu'ils soient produits quasi en même façon : dont la raison est que les nerfs qui servent à élargir ou étrécir les organes de la voix, pour la rendre plus grosse ou plus aiguë, étant joints avec ceux qui ouvrent les orifices du cœur pendant la joie et les étrécissent pendant la tristesse, ils font que ces organes s'élargissent ou s'étrécissent au même temps.

Art. 133. *Pourquoi les enfants et les vieillards pleurent aisément.*

Les enfants et les vieillards sont plus enclins à pleurer que ceux du moyen âge, mais c'est pour diverses raisons. Les vieillards pleurent souvent d'affection et de joie; car ces deux passions jointes ensemble envoient beaucoup de sang à leur cœur, et de là beaucoup de vapeurs à leurs yeux; et l'agitation de ces vapeurs est tellement retardée par la froideur de leur naturel, qu'elles se convertissent aisément en larmes, encore qu'aucune tristesse n'ait précédé. Que si quelques vieillards pleurent aussi fort aisément de fâcherie, ce n'est pas tant le tempérament de leur corps que celui de leur esprit qui les y dispose. Et cela n'arrive qu'à ceux qui sont si faibles qu'ils se laissent entièrement surmonter par de petits sujets de douleur, de crainte ou de pitié. Le même arrive aux enfants, lesquels ne pleurent guère de joie, mais bien plus de tristesse, même quand elle n'est point accompagnée d'amour. Car ils ont toujours assez de sang pour produire beaucoup de vapeurs, le mouvement desquelles étant retardé par la tristesse, elles se convertissent en larmes.

Art. 134. *Pourquoi quelques enfants pâlissent au lieu de pleurer.*

Toutefois il y en a quelques-uns qui pâlissent au lieu de pleurer quand ils sont fâchés : ce qui peut témoigner en eux un jugement et un courage extraordinaire; à savoir, lorsque cela vient de ce qu'ils considèrent la grandeur du mal et se préparent à une forte résistance, en même façon que ceux qui sont plus âgés. Mais c'est plus ordinairement une marque de mauvais naturel : à savoir, lorsque cela vient de ce qu'ils sont enclins à la haine ou à la peur; car ce sont

des passions qui diminuent la matière des
larmes. Et on voit, au contraire, que ceux qui
pleurent fort aisément sont enclins à l'amour et
à la pitié.

Art. 135. *Des soupirs.*

La cause des soupirs est fort différente de
celle des larmes, encore qu'ils présupposent
comme elles la tristesse. Car, au lieu qu'on est
incité à pleurer quand les poumons sont pleins
de sang, on est incité à soupirer quand ils sont
presque vides, et que quelque imagination
d'espérance ou de joie ouvre l'orifice de l'artère
veineuse, que la tristesse avait étréci; parce
qu'alors le peu de sang qui reste dans les poumons tombant tout à coup dans le côté gauche
du cœur par cette artère veineuse, et y étant
poussé par le désir de parvenir à cette joie,
lequel agite en même temps tous les muscles du
diaphragme et de la poitrine, l'air est poussé
promptement par la bouche dans les poumons,
pour y remplir la place que laisse ce sang. Et
c'est cela qu'on nomme soupirer.

Art. 136. *D'où viennent les effets des passions qui sont particulières à certains hommes.*

Au reste, afin de suppléer ici en peu de mots
à tout ce qui pourrait y être ajouté touchant les
divers effets ou les diverses causes des passions, je me contenterai de répéter le principe
sur lequel tout ce que j'en ai écrit est appuyé : à

savoir qu'il y a telle liaison entre notre âme et notre corps, que lorsque nous avons une fois joint quelque action corporelle avec quelque pensée, l'une des deux ne se présente point à nous par après que l'autre ne s'y présente aussi ; et que ce ne sont pas toujours les mêmes actions qu'on joint aux mêmes pensées. Car cela suffit pour rendre raison de tout ce qu'un chacun peut remarquer de particulier en soi ou en d'autres, touchant cette matière, qui n'a point été ici expliqué. Et pour exemple, il est aisé de penser que les étranges aversions de quelques-uns, qui les empêchent de souffrir l'odeur des roses ou la présence d'un chat, ou choses semblables, ne viennent que de ce qu'au commencement de leur vie, ils ont été fort offensés par quelques pareils objets, ou bien qu'ils ont compati au sentiment de leur mère qui en a été offensée étant grosse. Car il est certain qu'il y a du rapport entre tous les mouvements de la mère et ceux de l'enfant qui est en son ventre, en sorte que ce qui est contraire à l'un nuit à l'autre. Et l'odeur des roses peut avoir causé un grand mal de tête à un enfant lorsqu'il était encore au berceau ; ou bien un chat le peut avoir fort épouvanté, sans que personne y ait pris garde, ni qu'il en ait eu après aucune mémoire ; bien que l'idée de l'aversion qu'il avait alors pour ces roses ou pour ce chat demeure imprimée en son cerveau jusques à la fin de sa vie.

Art. 137. *De l'usage des cinq passions ici expliquées, en tant qu'elles se rapportent au corps.*

Après avoir donné les définitions de l'amour, de la haine, du désir, de la joie, de la tristesse ; et traité de tous les mouvements corporels qui les causent ou les accompagnent, nous n'avons plus ici à considérer que leur usage. Touchant quoi il est à remarquer que, selon l'institution de la nature, elles se rapportent toutes au corps, et ne sont données à l'âme qu'en tant qu'elle est jointe avec lui : en sorte que leur usage naturel est d'inciter l'âme à consentir et contribuer aux actions qui peuvent servir à conserver le corps ou à le rendre en quelque façon plus parfait. Et en ce sens la tristesse et la joie sont les deux premières qui sont employées. Car l'âme n'est immédiatement avertie des choses qui nuisent au corps que par le sentiment qu'elle a de la douleur, lequel produit en elle premièrement la passion de la tristesse, puis ensuite la haine de ce qui cause cette douleur, et en troisième lieu le désir de s'en délivrer. Comme aussi l'âme n'est immédiatement avertie des choses utiles au corps que par quelque sorte de chatouillement qui, excitant en elle de la joie, fait ensuite naître l'amour de ce qu'on croit en être la cause, et enfin le désir d'acquérir ce qui peut faire qu'on continue en cette joie ou bien qu'on jouisse encore après d'une semblable. Ce qui fait voir qu'elles sont toutes cinq très utiles au regard du corps ; et même que la tristesse est en quelque façon première et plus nécessaire que la joie, et la haine que l'amour : à cause qu'il importe davantage de repousser les choses qui nuisent et peuvent détruire que d'acquérir celles qui ajoutent quelque perfection sans laquelle on peut subsister.

ART. 138. *De leurs défauts, et des moyens de les corriger.*

Mais, encore que cet usage des passions soit le plus naturel qu'elles puissent avoir, et que tous les animaux sans raison ne conduisent leur vie que par des mouvements corporels semblables à ceux qui ont coutume en nous de les suivre, et auxquels elles incitent notre âme à consentir. Il n'est pas néanmoins toujours bon, d'autant qu'il y a plusieurs choses nuisibles au corps qui ne causent au commencement aucune tristesse ou même qui donnent de la joie; et d'autres qui lui sont utiles, bien que d'abord elles soient incommodes. Et outre cela, elles font paraître presque toujours, tant les biens que les maux qu'elles représentent, beaucoup plus grands et plus importants qu'ils ne sont; en sorte qu'elles nous incitent à rechercher les uns et fuir les autres avec plus d'ardeur et plus de soin qu'il n'est convenable. Comme nous voyons aussi que les bêtes sont souvent trompées par des appâts, et que pour éviter de petits maux elles se précipitent en de plus grands. C'est pourquoi nous devons nous servir de l'expérience et de la raison pour distinguer le bien d'avec le mal et connaître leur juste valeur, afin de ne prendre pas l'un pour l'autre, et de ne nous porter à rien avec excès.

ART. 139. *De l'usage des mêmes passions, en tant qu'elles appartiennent à l'âme; et première-ment de l'amour.*

Ce qui suffirait si nous n'avions en nous que le corps ou qu'il fût notre meilleure partie; mais, d'autant qu'il n'est que la moindre, nous devons principalement considérer les passions en tant qu'elles appartiennent à l'âme, au regard de laquelle l'amour et la haine viennent de la connaissance et précèdent la joie et la tris-tesse; excepté lorsque ces deux dernières tiennent le lieu de la connaissance, dont elles sont des espèces. Et lorsque cette connaissance est vraie, c'est-à-dire que les choses qu'elle nous porte à aimer sont véritablement bonnes, et celles qu'elle nous porte à haïr sont véritable-ment mauvaises, l'amour est incomparable-ment meilleure que la haine, elle ne saurait être trop grande; et elle ne manque jamais de pro-duire la joie. Je dis que cette amour est extrê-mement bonne, parce que, joignant à nous de vrais biens, elle nous perfectionne d'autant. Je dis aussi qu'elle ne saurait être trop grande; car tout ce que la plus excessive peut faire, c'est de nous joindre si parfaitement à ces biens, que l'amour que nous avons particulièrement pour nous-mêmes n'y mette aucune distinction; ce que je crois ne pouvoir jamais être mauvais. Et elle est nécessairement suivie de la joie, à cause qu'elle nous représente ce que nous aimons comme un bien qui nous appartient.

Art. 140. *De la haine.*

La haine, au contraire, ne saurait être si petite qu'elle ne nuise ; et elle n'est jamais sans tristesse. Je dis qu'elle ne saurait être trop petite, à cause que nous ne sommes incités à aucune action par la haine du mal que nous ne le puissions être encore mieux par l'amour du bien, auquel il est contraire : au moins lorsque ce bien et ce mal sont assez connus. Car j'avoue que la haine du mal qui n'est manifestée que par la douleur est nécessaire au regard du corps ; mais je ne parle ici que de celle qui vient d'une connaissance plus claire, et je ne la rapporte qu'à l'âme. Je dis aussi qu'elle n'est jamais sans tristesse, à cause que le mal n'étant qu'une privation, il ne peut être conçu sans quelque sujet réel dans lequel il soit, et il n'y a rien de réel qui n'ait en soi quelque bonté ; de façon que la haine qui nous éloigne de quelque mal nous éloigne par même moyen du bien auquel il est joint, et la privation de ce bien, étant représentée à notre âme comme un défaut qui lui appartient, excite en elle la tristesse. Par exemple, la haine qui nous éloigne des mauvaises mœurs de quelqu'un nous éloigne par même moyen de sa conversation, en laquelle nous pourrions sans cela trouver quelque bien duquel nous sommes fâchés d'être privés. Et ainsi en toutes les autres haines on peut remarquer quelque sujet de tristesse.

Art. 141. *Du désir, de la joie et de la tristesse.*

Pour le désir, il est évident que lorsqu'il procède d'une vraie connaissance il ne peut être
mauvais, pourvu qu'il ne soit point excessif et
que cette connaissance le règle. Il est évident
aussi que la joie ne peut manquer d'être bonne,
ni la tristesse d'être mauvaise, au regard de
l'âme ; parce que c'est en la dernière que
consiste toute l'incommodité que l'âme reçoit
du mal, et en la première que consiste toute la
jouissance du bien qui lui appartient. De façon
que si nous n'avions point de corps, j'oserais
dire que nous ne pourrions trop nous abandonner à l'amour et à la joie, ni trop éviter la haine
et la tristesse. Mais les mouvements corporels
qui les accompagnent peuvent tous être nuisibles à la santé lorsqu'ils sont fort violents ; et
au contraire lui être utiles lorsqu'ils ne sont que
modérés.

Art. 142. *De la joie et de l'amour, comparées*
avec la tristesse et la haine.

Au reste, puisque la haine et la tristesse
doivent être rejetées par l'âme, lors même
qu'elles procèdent d'une vraie connaissance,
elles doivent l'être à plus forte raison
lorsqu'elles viennent de quelque fausse opinion.
Mais on peut douter si l'amour et la joie sont
bonnes ou non lorsqu'elles sont ainsi mal fondées ; et il me semble que si on ne les considère
précisément que ce qu'elles sont en elles-
mêmes au regard de l'âme, on peut dire que,

bien que la joie soit moins solide et l'amour moins avantageuse que lorsqu'elles ont un meilleur fondement, elles ne laissent pas d'être préférables à la tristesse et à la haine aussi mal fondées : en sorte que, dans les rencontres de la vie où nous ne pouvons éviter le hasard d'être trompés, nous faisons toujours beaucoup mieux de pencher vers les passions qui tendent au bien que vers celles qui regardent le mal, encore que ce ne soit que pour l'éviter : et même souvent une fausse joie vaut mieux qu'une tristesse dont la cause est vraie. Mais je n'ose pas dire de même de l'amour au regard de la haine. Car, lorsque la haine est juste, elle ne nous éloigne que du sujet qui contient le mal dont il est bon d'être séparé ; au lieu que l'amour qui est injuste nous joint à des choses qui peuvent nuire, ou du moins qui ne méritent pas d'être tant considérées par nous qu'elles sont, ce qui nous avilit et nous abaisse.

Art. 143. *Des mêmes passions, en tant qu'elles se rapportent au désir.*

Et il faut exactement remarquer que ce que je viens de dire de ces quatre passions n'a lieu que lorsqu'elles sont considérées précisément en elles-mêmes, et qu'elles ne nous portent à aucune action. Car, en tant qu'elles excitent en nous le désir, par l'entremise duquel elles règlent nos mœurs, il est certain que toutes celles dont la cause est fausse peuvent nuire, et qu'au contraire toutes celles dont la cause est juste peuvent servir ; et même que, lorsqu'elles

sont également mal fondées, la joie est ordinairement plus nuisible que la tristesse, parce
que celle-ci, donnant de la retenue et de la
crainte, dispose en quelque façon à la prudence, au lieu que l'autre rend inconsidérés et
téméraires ceux qui s'abandonnent à elle.

Art. 144. *Des désirs dont l'événement ne
dépend que de nous.*

Mais, parce que ces passions ne nous peuvent
porter à aucune action que par l'entremise du
désir qu'elles excitent, c'est particulièrement ce
désir que nous devons avoir soin de régler, et
c'est en cela que consiste la principale utilité de
la morale. Or, comme j'ai tantôt dit qu'il est
toujours bon lorsqu'il suit une vraie connaissance, ainsi il ne peut manquer d'être mauvais
lorsqu'il est fondé sur quelque erreur. Et il me
semble que l'erreur qu'on commet le plus ordinairement touchant les désirs est qu'on ne distingue pas assez les choses qui dépendent entièrement de nous de celles qui n'en dépendent
point. Car, pour celles qui ne dépendent que de
nous, c'est-à-dire de notre libre arbitre, il suffit
de savoir qu'elles sont bonnes pour ne les pouvoir désirer avec trop d'ardeur; à cause que
c'est suivre la vertu que de faire les choses
bonnes qui dépendent de nous, et il est certain
qu'on ne saurait avoir un désir trop ardent pour
la vertu, outre que ce que nous désirons en
cette façon ne pouvant manquer de nous réussir, puisque c'est de nous seuls qu'il dépend,
nous en recevons toujours toute la satisfaction

que nous en avons attendue. Mais la faute qu'on a coutume de commettre en ceci n'est jamais qu'on désire trop, c'est seulement qu'on désire trop peu. Et le souverain remède contre cela est de se délivrer l'esprit autant qu'il se peut de toutes sortes d'autres désirs moins utiles, puis de tâcher de connaître bien clairement et de considérer avec attention la bonté de ce qui est à désirer.

ART. 145. *De ceux qui ne dépendent que des autres causes, et ce que c'est que la fortune.*

Pour les choses qui ne dépendent aucunement de nous, tant bonnes qu'elles puissent être, on ne les doit jamais désirer avec passion : non seulement à cause qu'elles peuvent n'arriver pas, et par ce moyen nous affliger d'autant plus que nous les aurons plus souhaitées ; mais principalement à cause qu'en occupant notre pensée elles nous détournent de porter notre affection à d'autres choses dont l'acquisition dépend de nous. Et il y a deux remèdes généraux contre ces vains désirs ; le premier est la générosité, de laquelle je parlerai ci-après ; le second est que nous devons souvent faire réflexion sur la Providence divine, et nous représenter qu'il est impossible qu'aucune chose arrive d'autre façon qu'elle a été déterminée de toute éternité par cette Providence ; en sorte qu'elle est comme une fatalité ou une nécessité immuable qu'il faut opposer à la fortune, pour la détruire comme une chimère qui ne vient que de l'erreur de notre entendement.

Car nous ne pouvons désirer que ce que nous estimons en quelque façon être possible ; et nous ne pouvons estimer possibles les choses qui ne dépendent point de nous qu'en tant que nous pensons qu'elles dépendent de la fortune, c'est-à-dire que nous jugeons qu'elles peuvent arriver, et qu'il en est arrivé autrefois de semblables. Or cette opinion n'est fondée que sur ce que nous ne connaissons pas toutes les causes qui contribuent à chaque effet. Car, lorsqu'une chose que nous avons estimée dépendre de la fortune n'arrive pas, cela témoigne que quelqu'une des causes qui étaient nécessaires pour la produire a manqué, et par conséquent qu'elle était absolument impossible ; et qu'il n'en est jamais arrivé de semblable, c'est-à-dire à la production de laquelle une pareille cause ait aussi manqué : en sorte que si nous n'eussions point ignoré cela auparavant, nous ne l'eussions jamais estimée possible, ni par conséquent ne l'eussions désirée.

ART. 146. *De ceux qui dépendent de nous et d'autrui.*

Il faut donc entièrement rejeter l'opinion vulgaire qu'il y a hors de nous une fortune qui fait que les choses arrivent ou n'arrivent pas, selon son plaisir ; et savoir que tout est conduit par la Providence divine, dont le décret éternel est tellement infaillible et immuable, qu'excepté les choses que ce même décret a voulu dépendre de notre libre arbitre, nous devons penser qu'à notre égard il n'arrive rien qui ne soit néces-

saire et comme fatal, en sorte que nous ne pouvons sans erreur désirer qu'il arrive d'autre
façon. Mais parce que la plupart de nos désirs
s'étendent à des choses qui ne dépendent pas
toutes de nous ni toutes d'autrui, nous devons
exactement distinguer en elles ce qui ne dépend
que de nous, afin de n'étendre notre désir qu'à
cela seul. Et pour le surplus, encore que nous
en devions estimer le succès entièrement fatal
et immuable, afin que notre désir ne s'y occupe
point, nous ne devons pas laisser de considérer
les raisons qui le font plus ou moins espérer,
afin qu'elles servent à régler nos actions. Car,
par exemple, si nous avons affaire en quelque
lieu où nous puissions aller par deux divers
chemins, l'un desquels ait coutume d'être beaucoup plus sûr que l'autre, bien que peut-être le
décret de la Providence soit tel que si nous
allons par le chemin qu'on estime le plus sûr
nous ne manquerons pas d'y être volés, et qu'au
contraire nous pourrons passer par l'autre sans
aucun danger, nous ne devons pas pour cela
être indifférents à choisir l'un ou l'autre; ni
nous reposer sur la fatalité immuable de ce
décret, mais la raison veut que nous choisis-
sions le chemin qui a coutume d'être le plus
sûr; et notre désir doit être accompli touchant
cela lorsque nous l'avons suivi, quelque mal
qu'il nous en soit arrivé; à cause que ce mal
ayant été à notre égard inévitable, nous n'avons
eu aucun sujet de souhaiter d'en être exempts,
mais seulement de faire tout le mieux que notre
entendement a pu connaître, ainsi que je sup-
pose que nous avons fait. Et il est certain que
lorsqu'on s'exerce à distinguer ainsi la fatalité

de la fortune, on s'accoutume aisément à régler ses désirs en telle sorte que, d'autant que leur accomplissement ne dépend que de nous, ils peuvent toujours nous donner une entière satisfaction.

ART. 147. *Des émotions intérieures de l'âme.*

J'ajouterai seulement encore ici une considération qui me semble beaucoup servir pour nous empêcher de recevoir aucune incommodité des passions ; c'est que notre bien et notre mal dépendent principalement des émotions intérieures qui ne sont excitées en l'âme que par l'âme même ; en quoi elles diffèrent de ces passions, qui dépendent toujours de quelque mouvement des esprits. Et bien que ces émotions de l'âme soient souvent jointes avec les passions qui leur sont semblables, elles peuvent souvent aussi se rencontrer avec d'autres, et même naître de celles qui leur sont contraires. Par exemple, lorsqu'un mari pleure sa femme morte, laquelle (ainsi qu'il arrive quelquefois) il serait fâché de voir ressuscitée : il se peut faire que son cœur est serré par la tristesse que l'appareil des funérailles et l'absence d'une personne à la conversation de laquelle il était accoutumé excitent en lui ; et il se peut faire que quelques restes d'amour ou de pitié qui se présentent à son imagination tirent de véritables larmes de ses yeux, nonobstant qu'il sente cependant une joie secrète dans le plus intérieur de son âme ; l'émotion de laquelle a tant de pouvoir que la tristesse et les larmes qui l'accompagnent ne peuvent rien diminuer de sa force. Et lorsque nous lisons des aventures étranges dans un livre, ou que nous les voyons représenter sur un théâtre, cela excite quelquefois en nous la tristesse, quelquefois la joie, ou l'amour, ou la haine, et généralement toutes les passions, selon la diversité des objets qui s'offrent à notre imagination; mais avec cela nous avons du plaisir de les sentir exciter en nous, et ce plaisir est une joie intellectuelle qui peut aussi bien naître de la tristesse que de toutes les autres passions.

ART. 148. *Que l'exercice de la vertu est un souverain remède contre les passions.*

Or, d'autant que ces émotions intérieures nous touchent de plus près et ont, par conséquent, beaucoup plus de pouvoir sur nous que les passions, dont elles diffèrent, qui se rencontrent avec elles, il est certain que, pourvu que notre âme ait toujours de quoi se contenter en son intérieur, tous les troubles qui viennent d'ailleurs n'ont aucun pouvoir de lui nuire, mais plutôt ils servent à augmenter sa joie, en ce que, voyant qu'elle ne peut être offensée par eux, cela lui fait connaître sa perfection. Et afin que notre âme ait ainsi de quoi être contente, elle n'a besoin que de suivre exactement la vertu. Car quiconque a vécu en telle sorte que sa conscience ne lui peut reprocher qu'il n'ait jamais manqué à faire toutes les choses qu'il a jugées être les meilleurs (qui est ce que je nomme ici suivre la vertu), il en reçoit une satisfaction qui est si puissante pour le rendre heureux, que les plus violents efforts des passions n'ont jamais assez de pouvoir pour troubler la tranquillité de son âme.

TROISIÈME PARTIE

Art. 149. *De l'estime et du mépris.*

Après avoir expliqué les six passions primitives, qui sont comme les genres dont toutes les
autres sont des espèces, je remarquerai ici succinctement ce qu'il y a de particulier en chacune de ces autres, et je retiendrai le même
ordre suivant lequel je les ai ci-dessus dénombrées. Les deux premières sont l'estime et le
mépris. Car, bien que ces noms ne signifient
ordinairement que les opinions qu'on a sans
passion de la valeur de chaque chose, toutefois,
à cause que, de ces opinions, il naît souvent des
passions auxquelles on n'a point donné de
noms particuliers, il me semble que ceux-ci
leur peuvent être attribués. Et l'estime, en tant
qu'elle est une passion, est une inclination qu'a
l'âme à se représenter la valeur de la chose estimée, laquelle inclination est causée par un
mouvement particulier des esprits tellement
conduits dans le cerveau qu'ils y fortifient les
impressions qui servent à ce sujet. Comme, au
contraire, la passion du mépris est une inclina-

tion qu'a l'âme à considérer la bassesse ou petitesse de ce qu'elle méprise, causée par le mouvement des esprits qui fortifient l'idée de cette
petitesse.

Art. 150. *Que ces deux passions ne sont que
des espèces d'admiration.*

Ainsi ces deux passions ne sont que des
espèces d'admiration. Car lorsque nous n'admirons point la grandeur ni la petitesse d'un objet,
nous n'en faisons ni plus ni moins d'état que la
raison nous dicte que nous en devons faire ; de
façon que nous l'estimons ou le méprisons
alors sans passion. Et, bien que souvent
l'estime soit excitée en nous par l'amour, et le
mépris par la haine, cela n'est pas universel et
ne vient que de ce qu'on est plus ou moins
enclin à considérer la grandeur ou la petitesse
d'un objet, à raison de ce qu'on a plus ou moins
d'affection pour lui.

Art. 151. *Qu'on peut s'estimer ou mépriser
soi-même.*

Or, ces deux passions se peuvent généralement rapporter à toutes sortes d'objets ; mais
elles sont principalement remarquables quand
nous les rapportons à nous-mêmes, c'est-à-dire
quand c'est notre propre mérite que nous estimons ou méprisons. Et le mouvement des
esprits qui les cause est alors si manifeste qu'il
change même la mine, les gestes, la démarche

et généralement toutes les actions de ceux qui conçoivent une meilleure ou une plus mauvaise opinion d'eux-mêmes qu'à l'ordinaire.

ART. 152. *Pour quelle cause on peut s'estimer.*

Et parce que l'une des principales parties de la sagesse est de savoir en quelle façon et pour quelle cause chacun se doit estimer ou mépriser, je tâcherai ici d'en dire mon opinion. Je ne remarque en nous qu'une seule chose qui nous puisse donner juste raison de nous estimer, à savoir l'usage de notre libre arbitre, et l'empire que nous avons sur nos volontés. Car il n'y a que les seules actions qui dépendent de ce libre arbitre pour lesquelles nous puissions avec raison être loués ou blâmés, et il nous rend en quelque façon semblables à Dieu en nous faisant maîtres de nous-mêmes, pourvu que nous ne perdions point par lâcheté les droits qu'il nous donne.

ART. 153. *En quoi consiste la générosité.*

Ainsi je crois que la vraie générosité, qui fait qu'un homme s'estime au plus haut point qu'il se peut légitimement estimer, consiste seulement partie en ce qu'il connaît qu'il n'y a rien qui véritablement lui appartienne que cette libre disposition de ses volontés, ni pourquoi il doive être loué ou blâmé sinon pour ce qu'il en use bien ou mal; et partie en ce qu'il sent en soi-même une ferme et constante résolution d'en bien user, c'est-à-dire de ne manquer jamais de volonté pour entreprendre et exécuter toutes les choses qu'il jugera être les meilleures. Ce qui est suivre parfaitement la vertu.

ART. 154. *Qu'elle empêche qu'on ne méprise les autres.*

Ceux qui ont cette connaissance et ce sentiment d'eux-mêmes se persuadent facilement que chacun des autres hommes les peut aussi avoir de soi, parce qu'il n'y a rien en cela qui dépende d'autrui. C'est pourquoi ils ne méprisent jamais personne : et, bien qu'ils voient souvent que les autres commettent des fautes qui font paraître leur faiblesse, ils sont toutefois plus enclins à les excuser qu'à les blâmer, et à croire que c'est plutôt par manque de connaissance que par manque de bonne volonté qu'ils les commettent. Et, comme ils ne pensent point être de beaucoup inférieurs à ceux qui ont plus de bien ou d'honneurs, ou même qui ont plus d'esprit, plus de savoir, plus de beauté, ou généralement qui les surpassent en quelques autres perfections ; aussi ne s'estiment-ils point beaucoup au-dessus de ceux qu'ils surpassent ; à cause que toutes ces choses leur semblent être fort peu considérables, à comparaison de la bonne volonté, pour laquelle seule ils s'estiment, et laquelle ils supposent aussi être ou du moins pouvoir être en chacun des autres hommes.

Art. 155. *En quoi consiste l'humilité vertueuse.*

Ainsi les plus généreux ont coutume d'être les plus humbles, et l'humilité vertueuse ne consiste qu'en ce que la réflexion que nous faisons sur l'infirmité de notre nature et sur les fautes que nous pouvons autrefois avoir commises ou sommes capables de commettre, qui ne sont pas moindres que celles qui peuvent être commises par d'autres, est cause que nous ne nous préférons à personne, et que nous pensons que les autres ayant leur libre arbitre aussi bien que nous, ils en peuvent aussi bien user.

Art. 156. *Quelles sont les propriétés de la générosité; et comment elle sert de remède contre tous les dérèglements des passions.*

Ceux qui sont généreux en cette façon sont naturellement portés à faire de grandes choses, et toutefois à ne rien entreprendre dont ils ne se sentent capables. Et parce qu'ils n'estiment rien de plus grand que de faire du bien aux autres hommes et de mépriser son propre intérêt, pour ce sujet ils sont toujours parfaitement courtois, affables et officieux envers un chacun. Et avec cela ils sont entièrement maîtres de leurs passions; particulièrement des désirs, de la jalousie et de l'envie, à cause qu'il n'y a aucune chose dont l'acquisition ne dépende pas d'eux qu'ils pensent valoir assez pour mériter d'être beaucoup souhaitée; et de la haine envers les hommes, à cause qu'ils les estiment

tous; et de la peur, à cause que la confiance
qu'ils ont en leur vertu les assure; et enfin de la
colère, à cause que, n'estimant que fort peu
toutes les choses qui dépendent d'autrui, jamais
ils ne donnent tant d'avantage à leurs ennemis
que de reconnaître qu'ils en sont offensés.

ART. 157. *De l'orgueil.*

Tous ceux qui conçoivent bonne opinion
d'eux-mêmes pour quelque autre cause, telle
qu'elle puisse être, n'ont pas une vraie générosité, mais seulement un orgueil qui est toujours
fort vicieux, encore qu'il le soit d'autant plus
que la cause pour laquelle on s'estime est plus
injuste. Et la plus injuste de toutes est lorsqu'on
est orgueilleux sans aucun sujet, c'est-à-dire
sans qu'on pense pour cela qu'il y ait en soi
aucun mérite pour lequel on doive être prisé :
mais seulement parce qu'on ne fait point d'état
du mérite, et que, s'imaginant que la gloire n'est
autre chose qu'une usurpation, l'on croit que
ceux qui s'en attribuent le plus en ont le plus.
Ce vice est si déraisonnable et si absurde, que
j'aurais de la peine à croire qu'il y eût des
hommes qui s'y laissassent aller, si jamais personne n'était loué injustement; mais la flatterie
est si commune partout qu'il n'y a point
d'homme si défectueux qu'il ne se voie souvent
estimer pour des choses qui ne méritent
aucune louange, ou même qui méritent du
blâme; ce qui donne occasion aux plus ignorants et aux plus stupides de tomber en cette
espèce d'orgueil.

Art. 158. *Que ses effets sont contraires à ceux de la générosité.*

Mais, quelle que puisse être la cause pour laquelle on s'estime, si elle est autre que la volonté qu'on sent en soi-même d'user toujours bien de son libre arbitre, de laquelle j'ai dit que vient la générosité, elle produit toujours un orgueil très blâmable, et qui est si différent de cette vraie générosité qu'il a des effets entièrement contraires. Car tous les autres biens, comme l'esprit, la beauté, les richesses, les honneurs, etc., ayant coutume d'être d'autant plus estimés qu'ils se trouvent en moins de personnes, et même étant pour la plupart de telle nature qu'ils ne peuvent être communiqués à plusieurs, cela fait que les orgueilleux tâchent d'abaisser tous les autres hommes, et qu'étant esclaves de leurs désirs, ils ont l'âme incessamment agitée de haine, d'envie, de jalousie ou de colère.

Art. 159. *De l'humilité vicieuse.*

Pour la bassesse ou l'humilité vicieuse, elle consiste principalement en ce qu'on se sent faible ou peu résolu, et que, comme si on n'avait pas l'usage entier de son libre arbitre, on ne se peut empêcher de faire des choses dont on sait qu'on se repentira par après ; puis aussi en ce qu'on croit ne pouvoir subsister par soi-même ni se passer de plusieurs choses dont l'acquisition dépend d'autrui. Ainsi elle est directement opposée à la générosité, et il arrive souvent que ceux qui ont l'esprit le plus bas sont les plus arrogants et superbes, en même façon que les plus généreux sont les plus modestes et les plus humbles. Mais, au lieu que ceux qui ont l'esprit fort et généreux ne changent point d'humeur pour les prospérités ou adversités qui leur arrivent, ceux qui l'ont faible et abject ne sont conduits que par la fortune; et la prospérité ne les enfle pas moins que l'adversité les rend humbles. Même on voit souvent qu'ils s'abaissent honteusement auprès de ceux dont ils attendent quelque profit ou craignent quelque mal, et qu'au même temps ils s'élèvent insolemment au-dessus de ceux desquels ils n'espèrent ni ne craignent aucune chose.

Art. 160. *Quel est le mouvement des esprits en ces passions.*

Au reste, il est aisé à connaître que l'orgueil et la bassesse ne sont pas seulement des vices, mais aussi des passions, à cause que leur émotion paraît fort à l'extérieur en ceux qui sont subitement enflés ou abattus par quelque nouvelle occasion. Mais on peut douter si la générosité et l'humilité, qui sont des vertus, peuvent aussi être des passions, parce que leurs mouvements paraissent moins, et qu'il semble que la vertu ne symbolise pas tant avec la passion que fait le vice. Toutefois je ne vois point de raison qui empêche que le même mouvement des esprits qui sert à fortifier une pensée lorsqu'elle a un fondement qui est mauvais, ne la puisse

aussi fortifier lorsqu'elle en a un qui est juste.
Et parce que l'orgueil et la générosité ne
consistent qu'en la bonne opinion qu'on a de
soi-même, et ne diffèrent qu'en ce que cette opinion est injuste en l'un et juste en l'autre, il me
semble qu'on les peut rapporter à une même
passion, laquelle est excitée par un mouvement
composé de ceux de l'admiration, de la joie et
de l'amour, tant de celle qu'on a pour soi que de
celle qu'on a pour la chose qui fait qu'on
s'estime. Comme, au contraire, le mouvement
qui excite l'humilité, soit vertueuse, soit
vicieuse, est composé de ceux de l'admiration,
de la tristesse, et de l'amour qu'on a pour soi-
même, mêlée avec la haine qu'on a pour les
défauts, qui font qu'on se méprise. Et toute la
différence que je remarque en ces mouvements
est que celui de l'admiration a deux propriétés :
la première, que la surprise le rend fort dès son
commencement ; et l'autre, qu'il est égal en sa
continuation, c'est-à-dire que les esprits conti-
nuent à se mouvoir d'une même teneur dans le
cerveau. Desquelles propriétés la première se
rencontre bien plus en l'orgueil et en la bassesse qu'en la générosité et en l'humilité vertueuse ; et au contraire, la dernière se remarque
mieux en celles-ci qu'aux deux autres. Dont la
raison est que le vice vient ordinairement de
l'ignorance, et que ce sont ceux qui se
connaissent le moins qui sont les plus sujets à
s'enorgueillir et à s'humilier plus qu'ils ne
doivent ; à cause que tout ce qui leur arrive de
nouveau les surprend et fait que, se l'attribuant
à eux-mêmes, ils s'admirent, et qu'ils s'estiment
ou se méprisent selon qu'ils jugent que ce qui

leur arrive est à leur avantage ou n'y est pas.
Mais, parce que souvent après une chose qui les
a enorgueillis il en survient une autre qui les
humilie, le mouvement de leurs passions est
variable. Au contraire, il n'y a rien en la générosité
qui ne soit compatible avec l'humilité vertueuse, ni rien ailleurs qui les puisse changer;
ce qui fait que leurs mouvements sont fermes,
constants et toujours fort semblables à eux-
mêmes. Mais ils ne viennent pas tant de surprise, parce que ceux qui s'estiment en cette
façon connaissent assez quelles sont les causes
qui font qu'ils s'estiment. Toutefois on peut dire
que ces causes sont si merveilleuses (à savoir, la
puissance d'user de son libre arbitre, qui fait
qu'on se prise soi-même, et les infirmités du
sujet en qui est cette puissance, qui font qu'on
ne s'estime pas trop) qu'à toutes les fois qu'on
se les représente de nouveau elles donnent toujours une nouvelle admiration.

ART. 161. *Comment la générosité peut être
acquise.*

Et il faut remarquer que ce qu'on nomme
communément des vertus sont des habitudes
en l'âme qui la disposent à certaines pensées,
en sorte qu'elles sont différentes de ces pensées,
mais qu'elles les peuvent produire, et réciproquement être produites par elles. Il faut remarquer aussi que ces pensées peuvent être produites par l'âme seule, mais qu'il arrive souvent
que quelque mouvement des esprits les fortifie,
et que pour lors elles sont des actions de vertu

et ensemble des passions de l'âme. Ainsi,
encore qu'il n'y ait point de vertu à laquelle il
semble que la bonne naissance contribue tant
qu'à celle qui fait qu'on ne s'estime que selon sa
juste valeur ; et qu'il soit aisé à croire que toutes
les âmes que Dieu met en nos corps ne sont pas
également nobles et fortes (ce qui est cause que
j'ai nommé cette vertu générosité, suivant
l'usage de notre langue, plutôt que magnanimité, suivant l'usage de l'École, où elle n'est pas
fort connue), il est certain néanmoins que la
bonne institution sert beaucoup pour corriger
les défauts de la naissance ; et que si on
s'occupe souvent à considérer ce que c'est que
le libre arbitre, et combien sont grands les
avantages qui viennent de ce qu'on a une ferme
résolution d'en bien user ; comme aussi, d'autre
côté, combien sont vains et inutiles tous les
soins qui travaillent les ambitieux ; on peut
exciter en soi la passion et ensuite acquérir la
vertu de générosité, laquelle étant comme la
clef de toutes les autres vertus et un remède
général contre tous les dérèglements des passions, il me semble que cette considération
mérite bien d'être remarquée.

Art. 162. *De la vénération.*

La vénération ou le respect est une inclination de l'âme non seulement à estimer l'objet
qu'elle révère, mais aussi à se soumettre à lui
avec quelque crainte, pour tâcher de se le
rendre favorable. De façon que nous n'avons de
la vénération que pour les causes libres que

nous jugeons capables de nous faire du bien ou du mal, sans que nous sachions lequel des deux elles feront. Car nous avons de l'amour et de la dévotion plutôt qu'une simple vénération pour celles de qui nous n'attendons que du bien, et nous avons de la haine pour celles de qui nous n'attendons que du mal ; et si nous ne jugeons point que la cause de ce bien ou de ce mal soit libre, nous ne nous soumettons point à elle pour tâcher de l'avoir favorable. Ainsi, quand les païens avaient de la vénération pour des bois, des fontaines ou des montagnes, ce n'était pas proprement ces choses mortes qu'ils révéraient, mais les divinités qu'ils pensaient y présider. Et le mouvement des esprits qui excite cette passion est composé de celui qui excite l'admiration et de celui qui excite la crainte, de laquelle je parlerai ci-après.

Art. 163. *Du dédain.*

Tout de même, ce que je nomme le dédain est l'inclination qu'a l'âme à mépriser une cause libre en jugeant que, bien que de sa nature elle soit capable de faire du bien et du mal, elle est néanmoins si fort au-dessous de nous qu'elle ne nous peut faire ni l'un ni l'autre. Et le mouvement des esprits qui l'excite est composé de ceux qui excitent l'admiration et la sécurité ou la hardiesse.

Art. 164. *De l'usage de ces deux passions.*

Et c'est la générosité et la faiblesse de l'esprit ou la bassesse qui déterminent le bon et le mauvais usage de ces deux passions. Car

d'autant qu'on a l'âme plus noble et plus généreuse, d'autant a-t-on plus d'inclination à
rendre à chacun ce qui lui appartient; et ainsi
on n'a pas seulement une très profonde humilité au regard de Dieu, mais aussi on rend sans
répugnance tout l'honneur et le respect qui est
dû aux hommes, à chacun selon le rang et
l'autorité qu'il a dans le monde, et on ne
méprise rien que les vices. Au contraire, ceux
qui ont l'esprit bas et faible sont sujets à pécher
par excès, quelquefois en ce qu'ils révèrent et
craignent des choses qui ne sont dignes que de
mépris, et quelquefois en ce qu'ils dédaignent
insolemment celles qui méritent le plus d'être
révérées. Et ils passent souvent fort promptement de l'extrême impiété à la superstition,
puis de la superstition à l'impiété, en sorte qu'il
n'y a aucun vice ni aucun dérèglement d'esprit
dont ils ne soient capables.

ART. 165. *De l'espérance et de la crainte.*

L'espérance est une disposition de l'âme à se
persuader que ce qu'elle désire adviendra,
laquelle est causée par un mouvement particulier des esprits, à savoir, par celui de la joie et
du désir mêlés ensemble. Et la crainte est une
autre disposition de l'âme qui lui persuade qu'il
n'adviendra pas. Et il est à remarquer que bien
que ces deux passions soient contraires, on les
peut néanmoins avoir toutes deux ensemble, à
savoir, lorsqu'on se représente en même temps
diverses raisons dont les unes font juger que
l'accomplissement du désir est facile, les autres
le font paraître difficile.

ART. 166. *De la sécurité et du désespoir.*

Et jamais l'une de ces passions n'accompagne le désir qu'elle ne laisse quelque place à l'autre. Car, lorsque l'espérance est si forte qu'elle chasse entièrement la crainte, elle change de nature et se nomme sécurité ou assurance. Et, quand on est assuré que ce qu'on désire adviendra, bien qu'on continue à vouloir qu'il advienne, on cesse néanmoins d'être agité de la passion du désir, qui en faisait rechercher l'événement avec inquiétude. Tout de même, lorsque la crainte est si extrême qu'elle ôte tout lieu à l'espérance, elle se convertit en désespoir : et ce désespoir, représentant la chose comme impossible, éteint entièrement le désir, lequel ne se porte qu'aux choses possibles.

ART. 167. *De la jalousie.*

La jalousie est une espèce de crainte qui se rapporte au désir qu'on a de se conserver la possession de quelque bien ; et elle ne vient pas tant de la force des raisons qui font juger qu'on le peut perdre que de la grande estime qu'on en fait, laquelle est cause qu'on examine jusqu'aux moindres sujets de soupçon, et qu'on les prend pour des raisons fort considérables.

ART. 168. *En quoi cette passion peut être honnête.*

Et, parce qu'on doit avoir plus de soin de conserver les biens qui sont fort grands que ceux qui sont moindres, cette passion peut être juste et honnête en quelques occasions. Ainsi, par exemple, un capitaine qui garde une place de grande importance a droit d'en être jaloux, c'est-à-dire de se défier de tous les moyens par lesquels elle pourrait être surprise ; et une honnête femme n'est pas blâmée d'être jalouse de son honneur, c'est-à-dire de ne se garder pas seulement de mal faire, mais aussi d'éviter jusqu'aux moindres sujets de médisance.

ART. 169. *En quoi elle est blâmable.*

Mais on se moque d'un avaricieux lorsqu'il est jaloux de son trésor, c'est-à-dire lorsqu'il le couve des yeux et ne s'en veut jamais éloigner de peur qu'il ne lui soit dérobé : car l'argent ne vaut pas la peine d'être gardé avec tant de soin. Et on méprise un homme qui est jaloux de sa femme, parce que c'est un témoignage qu'il ne l'aime pas de la bonne sorte, et qu'il a mauvaise opinion de soi ou d'elle. Je dis qu'il ne l'aime pas de la bonne sorte ; car, s'il avait une vraie amour pour elle, il n'aurait aucune inclination à s'en défier. Mais ce n'est pas proprement elle qu'il aime, c'est seulement le bien qu'il imagine consister à en avoir seul la possession ; et il ne craindrait pas de perdre ce bien s'il ne jugeait pas qu'il en est indigne ou bien que sa femme est infidèle. Au reste, cette passion ne se rapporte qu'aux soupçons et aux défiances : car ce n'est pas proprement être jaloux que de tâcher d'éviter quelque mal lorsqu'on a juste sujet de le craindre.

Art. 170. *De l'irrésolution.*

L'irrésolution est aussi une espèce de crainte qui, retenant l'âme comme en balance entre plusieurs actions qu'elle peut faire, est cause qu'elle n'en exécute aucune, et ainsi qu'elle a du temps pour choisir avant que de se déterminer. En quoi véritablement elle a quelque usage qui est bon. Mais lorsqu'elle dure plus qu'il ne faut, et qu'elle fait employer à délibérer le temps qui est requis pour agir, elle est fort mauvaise. Or, je dis qu'elle est une espèce de crainte, nonobstant qu'il puisse arriver, lorsqu'on a le choix de plusieurs choses dont la bonté paraît fort égale, qu'on demeure incertain et irrésolu sans qu'on ait pour cela aucune crainte. Car cette sorte d'irrésolution vient seulement du sujet qui se présente, et non point d'aucune émotion des esprits ; c'est pourquoi elle n'est pas une passion, si ce n'est que la crainte qu'on a de manquer en son choix en augmente l'incertitude. Mais cette crainte est si ordinaire et si forte en quelques-uns, que souvent, encore qu'ils n'aient point à choisir et qu'ils ne voient qu'une seule chose à prendre ou à laisser, elle les retient et fait qu'ils s'arrêtent inutilement à en chercher d'autres. Et alors c'est un excès d'irrésolution qui vient d'un trop grand désir de bien faire, et d'une faiblesse de l'entendement, lequel, n'ayant point de notions claires et distinctes, en a seulement beaucoup de confuses. C'est pourquoi le remède contre cet excès est de s'accoutumer à former des jugements certains et déterminés touchant toutes les choses qui se présentent, et à croire qu'on s'acquitte toujours de son devoir lorsqu'on fait ce qu'on juge être le meilleur, encore que peut-être on juge très mal.

Art. 171. *Du courage et de la hardiesse.*

Le courage, lorsque c'est une passion et non point une habitude ou inclination naturelle, est une certaine chaleur ou agitation qui dispose l'âme à se porter puissamment à l'exécution des choses qu'elle veut faire, de quelque nature qu'elles soient. Et la hardiesse est une espèce de courage qui dispose l'âme à l'exécution des choses qui sont les plus dangereuses.

Art. 172. *De l'émulation.*

Et l'émulation en est aussi une espèce, mais en un autre sens. Car on peut considérer le courage comme un genre qui se divise en autant d'espèces qu'il y a d'objets différents, et en autant d'autres qu'il y a de causes : en la première façon la hardiesse en est une espèce, en l'autre, l'émulation. Et cette dernière n'est autre chose qu'une chaleur qui dispose l'âme à entreprendre des choses qu'elle espère lui pouvoir réussir parce qu'elle les voit réussir à d'autres ; et ainsi c'est une espèce de courage duquel la cause externe est l'exemple. Je dis la cause externe, parce qu'il doit outre cela y en avoir toujours une interne, qui consiste en ce qu'on a le corps tellement disposé que le désir et l'espérance ont plus de force à faire aller quantité de sang vers le cœur que la crainte ou le désespoir à l'empêcher.

Art. 173. *Comment la hardiesse dépend de l'espérance.*

Car il est à remarquer que, bien que l'objet de la hardiesse soit la difficulté, de laquelle suit ordinairement la crainte ou même le désespoir, en sorte que c'est dans les affaires les plus dangereuses et les plus désespérées qu'on emploie le plus de hardiesse et de courage; il est besoin néanmoins qu'on espère ou même qu'on soit assuré que la fin qu'on se propose réussira, pour s'opposer avec vigueur aux difficultés qu'on rencontre. Mais cette fin est différente de cet objet. Car on ne saurait être assuré et désespéré d'une même chose en même temps. Ainsi quand les Decies se jetaient au travers des ennemis et couraient à une mort certaine, l'objet de leur hardiesse était la difficulté de conserver leur vie pendant cette action, pour laquelle difficulté ils n'avaient que du désespoir, car ils étaient certains de mourir; mais leur fin était d'animer leurs soldats par leur exemple, et de leur faire gagner la victoire, pour laquelle ils avaient de l'espérance; ou bien aussi leur fin était d'avoir de la gloire après leur mort, de laquelle ils étaient assurés.

Art. 174. *De la lâcheté et de la peur.*

La lâcheté est directement opposée au courage, et c'est une langueur ou froideur qui empêche l'âme de se porter à l'exécution des choses qu'elle ferait si elle était exempte de cette passion. Et la peur ou l'épouvante, qui est contraire à la hardiesse, n'est pas seulement une froideur, mais aussi un trouble et un étonnement de l'âme qui lui ôte le pouvoir de résister aux maux qu'elle pense être proches.

ART. 175. *De l'usage de la lâcheté.*

Or, encore que je ne me puisse persuader que la nature ait donné aux hommes quelque passion qui soit toujours vicieuse et n'ait aucun usage bon et louable, j'ai toutefois bien de la peine à deviner à quoi ces deux peuvent servir. Il me semble seulement que la lâcheté a quelque usage lorsqu'elle fait qu'on est exempt des peines qu'on pourrait être incité à prendre par des raisons vraisemblables, si d'autres raisons plus certaines qui les ont fait juger inutiles n'avaient excité cette passion. Car, outre qu'elle exempte l'âme de ces peines, elle sert aussi alors pour le corps, en ce que, retardant le mouvement des esprits, elle empêche qu'on ne dissipe ses forces. Mais ordinairement elle est très nuisible, à cause qu'elle détourne la volonté des actions utiles. Et parce qu'elle ne vient que de ce qu'on n'a pas assez d'espérance ou de désir, il ne faut qu'augmenter en soi ces deux passions pour la corriger.

ART. 176. *De l'usage de la peur.*

Pour ce qui est de la peur ou de l'épouvante, je ne vois point qu'elle puisse jamais être louable ni utile, aussi n'est-ce pas une passion

particulière, c'est seulement un excès de
lâcheté, d'étonnement et de crainte, lequel est
toujours vicieux; ainsi que la hardiesse est un
excès de courage qui est toujours bon, pourvu
que la fin qu'on se propose soit bonne. Et parce
que la principale cause de la peur est la surprise, il n'y a rien de meilleur pour s'en exempter que d'user de préméditation et de se préparer à tous les événements, la crainte desquels la
peut causer.

Art. 177. *Du remords.*

Le remords de conscience est une espèce de
tristesse qui vient du doute qu'on a qu'une
chose qu'on fait ou qu'on a faite n'est pas
bonne. Et il présuppose nécessairement le
doute. Car, si on était entièrement assuré que
ce qu'on fait fût mauvais, on s'abstiendrait de le
faire; d'autant que la volonté ne se porte qu'aux
choses qui ont quelque apparence de bonté. Et
si on était assuré que ce qu'on a déjà fait fût
mauvais, on en aurait du repentir, non pas seulement du remords. Or, l'usage de cette passion
est de faire qu'on examine si la chose dont on
doute est bonne ou non, et d'empêcher qu'on ne
la fasse une autre fois pendant qu'on n'est pas
assuré qu'elle soit bonne. Mais, parce qu'elle
présuppose le mal, le meilleur serait qu'on n'eût
jamais sujet de la sentir; et on la peut prévenir
par les mêmes moyens par lesquels on se peut
exempter de l'irrésolution.

Art. 178. *De la moquerie.*

La dérision ou moquerie est une espèce de joie mêlée de haine, qui vient de ce qu'on aperçoit quelque petit mal en une personne qu'on pense en être digne. On a de la haine pour ce mal, et on a de la joie de le voir en celui qui en est digne. Et lorsque cela survient inopinément, la surprise de l'admiration est cause qu'on s'éclate de rire, suivant ce qui a été dit ci-dessus de la nature du ris. Mais ce mal doit être petit : car, s'il est grand, on ne peut croire que celui qui l'a en soit digne, si ce n'est qu'on soit de fort mauvais naturel ou qu'on lui porte beaucoup de haine.

Art. 179. *Pourquoi les plus imparfaits ont coutume d'être les plus moqueurs.*

Et on voit que ceux qui ont des défauts fort apparents, par exemple, qui sont boiteux, borgnes, bossus, ou qui ont reçu quelque affront en public, sont particulièrement enclins à la moquerie. Car, désirant voir tous les autres aussi disgraciés qu'eux, ils sont bien aises des maux qui leur arrivent, et ils les en estiment dignes.

Art. 180. *De l'usage de la raillerie.*

Pour ce qui est de la raillerie modeste, qui reprend utilement les vices en les faisant paraître ridicules, sans toutefois qu'on en rie soi-même ni qu'on témoigne aucune haine contre les personnes, elle n'est pas une passion, mais une qualité d'honnête homme, laquelle fait paraître la gaieté de son humeur et la tranquillité de son âme, qui sont des marques de vertu ; et souvent aussi l'adresse de son esprit, en ce qu'il sait donner une apparence agréable aux choses dont il se moque.

Art. 181. *De l'usage du ris en la raillerie.*

Et il n'est pas déshonnête de rire lorsqu'on entend les railleries d'un autre ; même elles peuvent être telles que ce serait être chagrin de n'en rire pas. Mais lorsqu'on raille soi-même, il est plus séant de s'en abstenir, afin de ne sembler pas être surpris par les choses qu'on dit, ni admirer l'adresse qu'on a de les inventer. Et cela fait qu'elles surprennent d'autant plus ceux qui les oient.

Art. 182. *De l'envie.*

Ce qu'on nomme communément envie est un vice qui consiste en une perversité de nature qui fait que certaines gens se fâchent du bien qu'ils voient arriver aux autres hommes. Mais je me sers ici de ce mot pour signifier une passion qui n'est pas toujours vicieuse. L'envie donc, en tant qu'elle est une passion, est une espèce de tristesse mêlée de haine qui vient de ce qu'on voit arriver du bien à ceux qu'on pense en être indignes. Ce qu'on ne peut penser avec raison que des biens de fortune. Car pour ceux de l'âme ou même du corps, en tant qu'on les a de naissance, c'est assez en être digne que de les avoir reçus de Dieu avant qu'on fût capable de commettre aucun mal.

ART. 183. *Comment elle peut être juste ou injuste.*

Mais lorsque la fortune envoie des biens à quelqu'un dont il est véritablement indigne, et que l'envie n'est excitée en nous que parce qu'aimant naturellement la justice, nous sommes fâchés qu'elle ne soit pas observée en la distribution de ces biens, c'est un zèle qui peut être excusable; principalement lorsque le bien qu'on envie à d'autres est de telle nature qu'il se peut convertir en mal entre leurs mains : comme si c'est quelque charge ou office en l'exercice duquel ils se puissent mal comporter. Même lorsqu'on désire pour soi le même bien et qu'on est empêché de l'avoir, parce que d'autres qui en sont moins dignes le possèdent, cela rend cette passion plus violente; et elle ne laisse pas d'être excusable, pourvu que la haine qu'elle contient se rapporte seulement à la mauvaise distribution du bien qu'on envie, et non point aux personnes qui le possèdent ou le distribuent. Mais il y en a peu qui soient si justes et si généreux que de n'avoir point de haine pour ceux qui les préviennent en l'acquisition d'un bien qui n'est pas communicable à plusieurs, et qu'ils avaient désiré pour eux-mêmes, bien que ceux qui l'ont acquis en soient autant ou plus dignes. Et ce qui est ordinairement le plus envié, c'est la gloire. Car, encore que celle des autres n'empêche pas que nous n'y puissions aspirer, elle en rend toutefois l'accès plus difficile et en renchérit le prix.

Art. 184. *D'où vient que les envieux sont sujets à avoir le teint plombé.*

Au reste, il n'y a aucun vice qui nuise tant à la félicité des hommes que celui de l'envie. Car, outre que ceux qui en sont entachés s'affligent eux-mêmes, ils troublent aussi de tout leur pouvoir le plaisir des autres. Et ils ont ordinairement le teint plombé, c'est-à-dire pâle, mêlé de jaune et de noir et comme de sang meurtri. D'où vient que l'envie est nommée *livor* en latin. Ce qui s'accorde fort bien avec ce qui a été dit ci-dessus des mouvements du sang en la tristesse et en la haine. Car celle-ci fait que la bile jaune, qui vient de la partie inférieure du foie, et la noire, qui vient de la rate, se répandent du cœur par les artères en toutes les veines; et celle-là fait que le sang des veines a moins de chaleur et coule plus lentement qu'à l'ordinaire, ce qui suffit pour rendre la couleur livide. Mais parce que la bile, tant jaune que noire, peut aussi être envoyée dans les veines par plusieurs autres causes, et que l'envie ne les y pousse pas en assez grande quantité pour changer la couleur du teint, si ce n'est qu'elle soit fort grande et de longue durée, on ne doit pas penser que tous ceux en qui on voit cette couleur y soient enclins.

Art. 185. *De la pitié.*

La pitié est une espèce de tristesse mêlée d'amour ou de bonne volonté envers ceux à qui nous voyons souffrir quelque mal duquel nous les estimons indignes. Ainsi elle est contraire à l'envie à raison de son objet, et à la moquerie à cause qu'elle le considère d'autre façon.

Art. 186. *Qui sont les plus pitoyables.*

Ceux qui se sentent fort faibles et fort sujets aux adversités de la fortune semblent être plus enclins à cette passion que les autres, à cause qu'ils se représentent le mal d'autrui comme leur pouvant arriver ; et ainsi ils sont émus à la pitié plutôt par l'amour qu'ils se portent à eux-mêmes que par celle qu'ils ont pour les autres.

Art. 187. *Comment les plus généreux sont tou-chés de cette passion.*

Mais néanmoins ceux qui sont les plus géné-reux et qui ont l'esprit le plus fort, en sorte qu'ils ne craignent aucun mal pour eux et se tiennent au-delà du pouvoir de la fortune, ne sont pas exempts de compassion lorsqu'ils voient l'infirmité des autres hommes et qu'ils entendent leurs plaintes. Car c'est une partie de la générosité que d'avoir de la bonne volonté pour un chacun. Mais la tristesse de cette pitié n'est pas amère ; et, comme celle que causent les actions funestes qu'on voit représenter sur un théâtre, elle est plus dans l'extérieur et dans le sens que dans l'intérieur de l'âme, laquelle a cependant la satisfaction de penser qu'elle fait ce qui est de son devoir, en ce qu'elle compatit avec des affligés. Et il y a en cela de la différence, qu'au lieu que le vulgaire a compassion de ceux qui se plaignent, à cause qu'il pense que les maux qu'ils souffrent sont fort fâcheux, le principal objet de la pitié des plus grands hommes est la faiblesse de ceux qu'ils voient se plaindre : à cause qu'ils n'estiment point qu'aucun accident qui puisse arriver soit un si grand mal qu'est la lâcheté de ceux qui ne le peuvent souffrir avec constance. Et, bien qu'ils haïssent les vices, ils ne haïssent point pour cela ceux qu'ils y voient sujets; ils ont seulement pour eux de la pitié.

Art. 188. *Qui sont ceux qui n'en sont point touchés.*

Mais il n'y a que les esprits malins et envieux qui haïssent naturellement tous les hommes, ou bien ceux qui sont si brutaux, et tellement aveuglés par la bonne fortune ou désespérés par la mauvaise qu'ils ne pensent point qu'aucun mal leur puisse plus arriver, qui soient insensibles à la pitié.

Art. 189. *Pourquoi cette passion excite à pleurer.*

Au reste, on pleure fort aisément en cette passion, à cause que l'amour, envoyant beaucoup de sang vers le cœur, fait qu'il sort beaucoup de vapeurs par les yeux ; et que la froideur de la tristesse, retardant l'agitation de ces vapeurs, fait qu'elles se changent en larmes, suivant ce qui a été dit ci-dessus.

ART. 190. *De la satisfaction de soi-même.*

La satisfaction qu'ont toujours ceux qui suivent constamment la vertu est une habitude en leur âme qui se nomme tranquillité et repos de conscience. Mais celle qu'on acquiert de nouveau lorsqu'on a fraîchement fait quelque action qu'on pense bonne est une passion, à savoir, une espèce de joie, laquelle je crois être la plus douce de toutes, parce que sa cause ne dépend que de nous-mêmes. Toutefois, lorsque cette cause n'est pas juste, c'est-à-dire lorsque les actions dont on tire beaucoup de satisfaction ne sont pas de grande importance, ou même qu'elles sont vicieuses, elle est ridicule et ne sert qu'à produire un orgueil et une arrogance impertinente. Ce qu'on peut particulièrement remarquer en ceux qui, croyant être dévots, sont seulement bigots et superstitieux, c'est-à-dire qui, sous ombre qu'ils vont souvent à l'église, qu'ils récitent force prière, qu'ils portent les cheveux courts, qu'ils jeûnent, qu'ils donnent l'aumône, pensent être entièrement parfaits, et s'imaginent qu'ils sont si grands amis de Dieu qu'ils ne sauraient rien faire qui lui déplaise, et que tout ce que leur dicte leur passion est un bon zèle ; bien qu'elle leur dicte quelquefois les plus grands crimes qui puissent être commis par des hommes, comme de trahir des villes, de tuer des princes, d'exterminer des peuples entiers, pour cela seul qu'ils ne suivent pas leurs opinions.

Art. 191. *Du repentir.*

Le repentir est directement contraire à la satisfaction de soi-même ; et c'est une espèce de tristesse qui vient de ce qu'on croit avoir fait quelque mauvaise action ; et elle est très amère, parce que sa cause ne vient que de nous. Ce qui n'empêche pas néanmoins qu'elle ne soit fort utile lorsqu'il est vrai que l'action dont nous nous repentons est mauvaise et que nous en avons une connaissance certaine, parce qu'elle nous incite à mieux faire une autre fois. Mais il arrive souvent que les esprits faibles se repentent des choses qu'ils ont faites sans savoir assurément qu'elles soient mauvaises ; ils se le persuadent seulement à cause qu'ils le craignent ; et s'ils avaient fait le contraire, ils s'en repentiraient en même façon : ce qui est en eux une imperfection digne de pitié. Et les remèdes contre ce défaut sont les mêmes qui servent à ôter l'irrésolution.

Art. 192. *De la faveur.*

La faveur est proprement un désir de voir arriver du bien à quelqu'un pour qui on a de la bonne volonté ; mais je me sers ici de ce mot pour signifier cette volonté en tant qu'elle est excitée en nous par quelque bonne action de celui pour qui nous l'avons. Car nous sommes naturellement portés à aimer ceux qui font des choses que nous estimons bonnes, encore qu'il ne nous en revienne aucun bien. La faveur, en cette signification, est une espèce d'amour, non point de désir, encore que le désir de voir du bien à celui qu'on favorise l'accompagne toujours. Et elle est ordinairement jointe à la pitié, à cause que les disgrâces que nous voyons arriver aux malheureux sont cause que nous faisons plus de réflexion sur leurs mérites.

ART. 193. *De la reconnaissance.*

La reconnaissance est aussi une espèce d'amour excitée en nous par quelque action de celui pour qui nous l'avons, et par laquelle nous croyons qu'il nous a fait quelque bien, ou du moins qu'il en a eu intention. Ainsi elle contient tout le même que la faveur, et cela de plus qu'elle est fondée sur une action qui nous touche et dont nous avons désir de nous revancher. C'est pourquoi elle a beaucoup plus de force, principalement dans les âmes tant soit peu nobles et généreuses.

ART. 194. *De l'ingratitude.*

Pour l'ingratitude, elle n'est pas une passion ; car la nature n'a mis en nous aucun mouvement des esprits qui l'excite : mais elle est seulement un vice directement opposé à la reconnaissance, en tant que celle-ci est toujours

vertueuse et l'un des principaux liens de la
société humaine. C'est pourquoi ce vice
n'appartient qu'aux hommes brutaux et sotte-
ment arrogants qui pensent que toutes choses
leur sont dues ; ou aux stupides qui ne font
aucune réflexion sur les bienfaits qu'ils
reçoivent ; ou aux faibles et abjects qui, sentant
leur infirmité et leur besoin, recherchent basse-
ment le secours des autres, et après qu'ils l'ont
reçu, ils les haïssent ; parce que, n'ayant pas la
volonté de leur rendre la pareille, ou désespé-
rant de le pouvoir, et s'imaginant que tout le
monde est mercenaire comme eux et qu'on ne
fait aucun bien qu'avec espérance d'en être
récompensé, ils pensent les avoir trompés.

ART. 195. *De l'indignation.*

L'indignation est une espèce de haine ou
d'aversion qu'on a naturellement contre ceux
qui font quelque mal, de quelle nature qu'il soit.
Et elle est souvent mêlée avec l'envie ou avec la
pitié ; mais elle a néanmoins un objet tout différent. Car on n'est indigné que contre ceux qui
font du bien ou du mal aux personnes qui n'en
sont pas dignes ; mais on porte envie à ceux qui
reçoivent ce bien, et on a pitié de ceux qui
reçoivent ce mal. Il est vrai que c'est en quelque
façon faire du mal que de posséder un bien
dont on n'est pas digne. Ce qui peut être la
cause pourquoi Aristote et ses suivants, supposant que l'envie est toujours un vice, ont appelé
du nom d'indignation celle qui n'est pas
vicieuse.

Art. 196. *Pourquoi elle est quelquefois jointe à la pitié, et quelquefois à la moquerie.*

C'est aussi en quelque façon recevoir du mal que d'en faire : d'où vient que quelques-uns joignent à leur indignation la pitié, et quelques autres la moquerie, selon qu'ils sont portés de bonne ou de mauvaise volonté envers ceux auxquels ils voient commettre des fautes. Et c'est ainsi que le ris de Démocrite et les pleurs d'Héraclite ont pu procéder de même cause.

Art. 197. *Qu'elle est souvent accompagnée d'admiration, et n'est pas incompatible avec la joie.*

L'indignation est souvent aussi accompagnée d'admiration. Car nous avons coutume de supposer que toutes choses seront faites en la façon que nous jugeons qu'elles doivent être, c'est-à-dire en la façon que nous estimons bonne, c'est pourquoi, lorsqu'il en arrive autrement, cela nous surprend, et nous l'admirons. Elle n'est pas incompatible aussi avec la joie, bien qu'elle soit plus ordinairement jointe à la tristesse. Car, lorsque le mal dont nous sommes indignés ne nous peut nuire, et que nous considérons que nous n'en voudrions pas faire de semblable, cela nous donne quelque plaisir; et c'est peut-être l'une des causes du ris qui accompagne quelquefois cette passion.

Art. 198. *De son usage.*

Au reste, l'indignation se remarque bien plus en ceux qui veulent paraître vertueux qu'en ceux qui le sont véritablement. Car, bien que ceux qui aiment la vertu ne puissent voir sans quelque aversion les vices des autres, ils ne se passionnent que contre les plus grands et extra-ordinaires. C'est être difficile et chagrin que d'avoir beaucoup d'indignation pour des choses de peu d'importance ; c'est être injuste que d'en avoir pour celles qui ne sont point blâmables ; et c'est être impertinent et absurde de ne restreindre pas cette passion aux actions des hommes, et de l'étendre jusques aux œuvres de Dieu ou de la nature : ainsi que font ceux qui, n'étant jamais contents de leur condition ni de leur fortune, osent trouver à redire en la conduite du monde et aux secrets de la Providence.

Art. 199. *De la colère.*

La colère est aussi une espèce de haine ou d'aversion que nous avons contre ceux qui ont fait quelque mal, ou qui ont tâché de nuire, non pas indifféremment à qui que ce soit, mais particulièrement à nous. Ainsi elle contient tout le même que l'indignation, et cela de plus qu'elle est fondée sur une action qui nous touche et dont nous avons désir de nous venger. Car ce désir l'accompagne presque toujours, et elle est directement opposée à la reconnaissance, comme l'indignation à la faveur. Mais elle est incomparablement plus violente que ces trois autres passions, à cause que le désir de repousser les choses nuisibles et de se venger est le plus pressant de tous. C'est le désir joint à l'amour qu'on a pour soi-même qui fournit à la colère toute l'agitation du sang que le courage et la hardiesse peuvent causer; et la haine fait que c'est principalement le sang bilieux qui vient de la rate et des petites veines du foie qui reçoit cette agitation et entre dans le cœur; où, à cause de son abondance et de la nature de la bile dont il est mêlé, il excite une chaleur plus âpre et plus ardente que n'est celle qui peut y être excitée par l'amour ou par la joie.

ART. 200. *Pourquoi ceux qu'elle fait rougir sont moins à craindre que ceux qu'elle fait pâlir.*

Et les signes extérieurs de cette passion sont différents, selon les divers tempéraments des personnes et la diversité des autres passions qui la composent ou se joignent à elle. Ainsi on en voit qui pâlissent ou qui tremblent lorsqu'ils se mettent en colère; et on en voit d'autres qui rougissent ou même qui pleurent. Et on juge ordinairement que la colère de ceux qui pâlissent est plus à craindre que n'est la colère de ceux qui rougissent. Dont la raison est que lorsqu'on ne veut ou qu'on ne peut se venger autrement que de mine et de paroles, on emploie toute sa chaleur et toute sa force dès le commencement qu'on est ému, ce qui est cause qu'on devient rouge : outre que quelquefois le regret et la pitié qu'on a de soi-même, parce qu'on ne peut se venger d'autre façon, est cause qu'on pleure. Et, au contraire, ceux qui se réservent et se déterminent à une plus grande vengeance deviennent tristes de ce qu'ils pensent y être obligés par l'action qui les met en colère; et ils ont aussi quelquefois de la crainte des maux qui peuvent suivre de la résolution qu'ils ont prise; ce qui les rend d'abord pâles, froids et tremblants. Mais, quand ils viennent après à exécuter leur vengeance, ils se réchauffent d'autant plus qu'ils ont été plus froids au commencement : ainsi qu'on voit que les fièvres qui commencent par le froid ont coutume d'être les plus fortes.

Art. 201. *Qu'il y a deux sortes de colère, et que ceux qui ont le plus de bonté sont les plus sujets à la première.*

Ceci nous avertit qu'on peut distinguer deux espèces de colère; l'une qui est fort prompte et se manifeste fort à l'extérieur, mais néanmoins qui a peu d'effet et peut facilement être apaisée; l'autre qui ne paraît pas tant à l'abord, mais qui ronge davantage le cœur et qui a des effets plus dangereux. Ceux qui ont beaucoup de bonté et beaucoup d'amour sont les plus sujets à la première. Car elle ne vient pas d'une profonde haine, mais d'une prompte aversion qui les surprend, à cause qu'étant portés à imaginer que toutes choses doivent aller en la façon qu'ils jugent être la meilleure, sitôt qu'il en arrive autrement ils l'admirent et s'en offensent, souvent même sans que la chose les touche en leur particulier, à cause qu'ayant beaucoup d'affection, ils s'intéressent pour ceux qu'ils aiment en même façon que pour eux-mêmes. Ainsi ce qui ne serait qu'un sujet d'indignation pour un autre est pour eux un sujet de colère. Et parcé que l'inclination qu'ils ont à aimer fait qu'ils ont beaucoup de chaleur et beaucoup de sang dans le cœur, l'aversion qui les surprend ne peut y pousser si peu de bile que cela ne cause d'abord une grande émotion dans ce sang. Mais cette émotion ne dure guère, à cause que la force de la surprise ne continue pas, et que sitôt qu'ils s'aperçoivent que le sujet qui les a fâchés ne les devait pas tant émouvoir, ils s'en repentent.

Art. 202. *Que ce sont les âmes faibles et basses qui se laissent le plus emporter à l'autre.*

L'autre espèce de colère, en laquelle prédomine la haine et la tristesse, n'est pas si apparente d'abord, sinon peut-être en ce qu'elle fait pâlir le visage. Mais sa force est augmentée peu à peu par l'agitation qu'un ardent désir de se venger excite dans le sang, lequel, étant mêlé avec la bile qui est poussée vers le cœur de la partie inférieure du foie et de la rate, y excite une chaleur fort âpre et fort piquante. Et comme ce sont les âmes les plus généreuses qui ont le plus de reconnaissance, ainsi ce sont celles qui ont le plus d'orgueil et qui sont les plus basses et les plus infirmes qui se laissent le plus emporter à cette espèce de colère; car les injures paraissent d'autant plus grandes que l'orgueil fait qu'on s'estime davantage; et aussi d'autant qu'on estime davantage les biens qu'elles ôtent, lesquels on estime d'autant plus qu'on a l'âme plus faible et plus basse, à cause qu'ils dépendent d'autrui.

ART. 203. *Que la générosité sert de remède contre ses excès.*

Au reste, encore que cette passion soit utile pour nous donner de la vigueur à repousser les injures, il n'y en a toutefois aucune dont on doive éviter les excès avec plus de soin; parce que, troublant le jugement, ils font souvent commettre des fautes dont on a par après du repentir, et même que quelquefois ils empêchent qu'on ne repousse si bien ces injures qu'on pourrait faire si on avait moins d'émotion. Mais, comme il n'y a rien qui la rende plus excessive que l'orgueil, ainsi je crois que la générosité est le meilleur remède qu'on puisse trouver contre ses excès : parce que, faisant qu'on estime fort peu tous les biens qui peuvent être ôtés, et qu'au contraire on estime beaucoup la liberté et l'empire absolu sur soi-même, qu'on cesse d'avoir lorsqu'on peut être offensé par quelqu'un, elle fait qu'on n'a que du mépris ou tout au plus de l'indignation pour les injures dont les autres ont coutume de s'offenser.

ART. 204. *De la gloire.*

Ce que j'appelle ici du nom de gloire est une espèce de joie fondée sur l'amour qu'on a pour soi-même, et qui vient de l'opinion ou de l'espé-

rance qu'on a d'être loué par quelques autres.
Ainsi elle est différente de la satisfaction intérieure qui vient de l'opinion qu'on a d'avoir fait
quelque bonne action. Car on est quelquefois
loué pour des choses qu'on ne croit point être
bonnes, et blâmé pour celles qu'on croit être
meilleures. Mais elles sont l'une et l'autre des
espèces de l'estime qu'on fait de soi-même,
aussi bien que des espèces de joie. Car c'est un
sujet pour s'estimer que de voir qu'on est
estimé par les autres.

Art. 205. *De la honte.*

La honte, au contraire, est une espèce de tristesse fondée aussi sur l'amour de soi-même, et
qui vient de l'opinion ou de la crainte qu'on a
d'être blâmé. Elle est, outre cela, une espèce de
modestie ou d'humilité et défiance de soi-
même. Car, lorsqu'on s'estime si fort qu'on ne
se peut imaginer d'être méprisé par personne,
on ne peut pas aisément être honteux.

Art. 206. *De l'usage de ces deux passions.*

Or la gloire et la honte ont même usage en ce
qu'elles nous incitent à la vertu, l'une par l'espérance, l'autre par la crainte. Il est seulement
besoin d'instruire son jugement touchant ce qui
est véritablement digne de blâme ou de
louange, afin de n'être pas honteux de bien
faire, et ne tirer point de vanité de ses vices,
ainsi qu'il arrive à plusieurs. Mais il n'est pas

bon de se dépouiller entièrement de ces passions, ainsi que faisaient autrefois les cyniques.
Car, encore que le peuple juge très mal, toutefois, à cause que nous ne pouvons vivre sans
lui, et qu'il nous importe d'en être estimés, nous
devons souvent suivre ses opinions plutôt que
les nôtres, touchant l'extérieur de nos actions.

Art. 207. *De l'impudence.*

L'impudence ou l'effronterie, qui est un
mépris de honte, et souvent aussi de gloire,
n'est pas une passion, parce qu'il n'y a en nous
aucun mouvement particulier des esprits qui
l'excite ; mais c'est un vice opposé à la honte, et
aussi à la gloire, en tant que l'une et l'autre sont
bonnes : ainsi que l'ingratitude est opposée à la
reconnaissance ; et la cruauté à la pitié. Et la
principale cause de l'effronterie vient de ce
qu'on a reçu plusieurs fois de grands affronts.
Car il n'y a personne qui ne s'imagine, étant
jeune, que la louange est un bien et l'infamie un
mal beaucoup plus importants à la vie qu'on ne
trouve par expérience qu'ils sont, lorsque, ayant
reçu quelques affronts signalés, on se voit
entièrement privé d'honneur et méprisé par un
chacun, c'est pourquoi ceux-là deviennent
effrontés qui, ne mesurant le bien et le mal que
par les commodités du corps, voient qu'ils en
jouissent après ces affronts tout aussi bien
qu'auparavant, ou même quelquefois beaucoup
mieux, à cause qu'ils sont déchargés de plusieurs contraintes auxquelles l'honneur les obli-
geait ; et que, si la perte des biens est jointe à

leur disgrâce, il se trouve des personnes chari-
tables qui leur en donnent.

Art. 208. *Du dégoût.*

Le dégoût est une espèce de tristesse qui
vient de la même cause dont la joie est venue
auparavant. Car nous sommes tellement
composés, que la plupart des choses dont nous
jouissons ne sont bonnes à notre égard que
pour un temps, et deviennent par après
incommodes. Ce qui paraît principalement au
boire et au manger, qui ne sont utiles que pendant qu'on a de l'appétit, et qui sont nuisibles
lorsqu'on n'en a plus; et parce qu'elles cessent
alors d'être agréables au goût, on a nommé
cette passion le dégoût.

Art. 209. *Du regret.*

Le regret est aussi une espèce de tristesse,
laquelle a une particulière amertume, en ce
qu'elle est toujours jointe à quelque désespoir
et à la mémoire du plaisir que nous a donné la
jouissance. Car nous ne regrettons jamais que
les biens dont nous avons joui, et qui sont tellement perdus que nous n'avons aucune espérance de les recouvrer au temps et en la façon
que nous les regrettons.

Art. 210. *De l'allégresse.*

Enfin, ce que je nomme allégresse est une
espèce de joie en laquelle il y a cela de particulier, que sa douceur est augmentée par la

souvenance des maux qu'on a soufferts et desquels on se sent allégé en même façon que si on se sentait déchargé de quelque pesant fardeau qu'on eût longtemps porté sur ses épaules. Et je ne vois rien de fort remarquable en ces trois passions ; aussi ne les ai-je mises ici que pour suivre l'ordre du dénombrement que j'ai fait ci-dessus. Mais il me semble que ce dénombrement a été utile pour faire voir que nous n'en omettions aucune qui fût digne de quelque particulière considération.

ART. 211. *Un remède général contre les passions.*

Et maintenant que nous les connaissons toutes, nous avons beaucoup moins de sujet de les craindre que nous n'avions auparavant. Car nous voyons qu'elles sont toutes bonnes de leur nature, et que nous n'avons rien à éviter que leurs mauvais usages ou leurs excès ; contre lesquels les remèdes que j'ai expliqués pourraient suffire si chacun avait assez de soin de les pratiquer. Mais, parce que j'ai mis entre ces remèdes la préméditation et l'industrie par laquelle on peut corriger les défauts de son naturel, en s'exerçant à séparer en soi les mouvements du sang et des esprits d'avec les pensées auxquelles ils ont coutume d'être joints : j'avoue qu'il y a peu de personnes qui se soient assez préparées en cette façon contre toutes sortes de rencontres, et que ces mouvements excités dans le sang par les objets des passions suivent d'abord si promptement des seules impressions qui se font dans le cerveau et de la disposition des organes, encore que l'âme n'y contribue en aucune façon, qu'il n'y a point de sagesse humaine qui soit capable de leur résister lorsqu'on n'y est pas assez préparé. Ainsi plusieurs ne sauraient s'abstenir de rire étant chatouillés, encore qu'ils n'y prennent point de plaisir. Car l'impression de la joie et de la surprise, qui les a fait rire autrefois pour le même sujet, étant réveillée en leur fantaisie, fait que leur poumon est subitement enflé malgré eux par le sang que le cœur lui envoie. Ainsi ceux qui sont fort portés de leur naturel aux émotions de la joie ou de la pitié, ou de la peur, ou de la colère, ne peuvent s'empêcher de pâmer, ou de pleurer, ou de trembler, ou d'avoir le sang tout ému, en même façon que s'ils avaient la fièvre, lorsque leur fantaisie est fortement touchée par l'objet de quelqu'une de ces passions. Mais ce qu'on peut toujours faire en telle occasion, et que je pense pouvoir mettre ici comme le remède le plus général et le plus aisé à pratiquer contre tous les excès des passions, c'est que, lorsqu'on se sent le sang ainsi ému, on doit être averti et se souvenir que tout ce qui se présente à l'imagination tend à tromper l'âme et à lui faire paraître les raisons qui servent à persuader l'objet de sa passion beaucoup plus fortes qu'elles ne sont, et celles qui servent à la dissuader beaucoup plus faibles. Et lorsque la passion ne persuade que des choses dont l'exécution souffre quelque délai, il faut s'abstenir d'en porter sur l'heure aucun jugement, et se divertir par d'autres pensées jusqu'à ce que le temps et le repos aient entièrement apaisé l'émotion qui est dans le sang. Et enfin, lorsqu'elle incite à des actions touchant lesquelles il est nécessaire qu'on prenne résolution sur-le-champ, il faut que la volonté se porte principalement à considérer et à suivre les raisons qui sont contraires à celles que la passion représente, encore qu'elles paraissent moins fortes. Comme lorsqu'on est inopinément attaqué par quelque ennemi, l'occasion ne permet pas qu'on emploie aucun temps à délibérer; mais ce qu'il me semble que ceux qui sont accoutumés à faire réflexion sur leurs actions peuvent toujours, c'est que, lorsqu'ils se sentiront saisis de la peur, ils tâcheront à détourner leur pensée de la considération du danger, en se représentant les raisons pour lesquelles il y a beaucoup plus de sûreté et plus d'honneur en la résistance qu'en la fuite; et, au contraire, lorsqu'ils sentiront que le désir de vengeance et la colère les incite à courir inconsidérément vers ceux qui les attaquent, ils se souviendront de penser que c'est imprudence de se perdre quand on peut sans déshonneur se sauver; et que, si la partie est fort inégale, il vaut mieux faire une honnête retraite ou prendre quartier que s'exposer brutalement à une mort certaine.

ART. 212. *Que c'est d'elles seules que dépend tout le bien et le mal de cette vie.*

Au reste, l'âme peut avoir ses plaisirs à part. Mais pour ceux qui lui sont communs avec le corps, ils dépendent entièrement des passions, en sorte que les hommes qu'elles peuvent le plus émouvoir sont capables de goûter le plus de douceur en cette vie. Il est vrai qu'ils y peuvent aussi trouver le plus d'amertume lorsqu'ils ne les savent pas bien employer et que la fortune leur est contraire. Mais la sagesse est principalement utile en ce point, qu'elle enseigne à s'en rendre tellement maître et à les ménager avec tant d'adresse, que les maux qu'elles causent sont fort supportables, et même qu'on tire de la joie de tous.

TABLE

DISTRIBUTION

ALLEMAGNE
SWAN BUCH-VERTRIEB GMBH
Goldscheuerstrasse 16
D-77694 Kehl/Rhein

BELGIQUE (non francophone)
UITGEVERIJ EN BOEKHANDEL
VAN GENNEP BV
Spuistraat 283
1012 VR Amsterdam
Pays-Bas

BULGARIE
COLIBRI
40 Solunska Street
1000 Sofia

REMUS
14 Benkovsky Street
1000 Sofia

OPEN SOCIETY FUND
125 Bd Tzaringradsko Chaussée
Bloc 5
1113 Sofia

CANADA
EDILIVRE INC.
DIFFUSION SOUSSAN
5740 Ferrier
Mont-Royal, QC H4P 1M7

ESPAGNE
PROLIBRO, S.A.
CL Sierra de Gata, 7
Pol. Ind. San Fernando II
28831 San Fernando de Henares

RIBERA LIBRERIA
PG. Martiartu
48480 Arrigorriaga
Vizcaya

ÉTATS-UNIS
POWELL'S BOOKSTORE
1501 East 57th Street
Chicago, Illinois 60637

TEXAS BOOKMAN
8650 Denton Drive
75235 Dallas, Texas

GRANDE-BRETAGNE
SANDPIPER BOOKS LTD
22 a Langroyd Road
London SW17 7PL

ITALIE
MAGIS BOOKS
Via Raffaello 31/C 6
42100 Reggio Emilia

LIBAN
SORED
Rue Mar Maroun
BP 166210
Beyrouth

MAROC
LIBRAIRIE DES ÉCOLES
12 av. Hassan II
Casablanca

PAYS-BAS
UITGEVERIJ EN BOEKHANDEL
VAN GENNEP BV
Spuistraat 283
1012 VR Amsterdam

POLOGNE
NOWELA
Ul. Towarowa 39/43
61006 Poznan

PORTUGAL
CENTRALIVROS
Av. Cintura do Porto de Lisboa
Urbanizacao da Matinha A-2C
1900 Lisboa

RUSSIE
L.CM
P.O. Box 63
117607 Moscou

MEZHDUNARODNAYA KNIGA
39 Oul. Bolchaia Iakimanka
117049 Moscou

ROUSSKI POUT
Oul. Nicoloiamskaia 1
109189 Moscou

Pour tous les pays (France, Belgique, Dom-Tom, etc...) exclusivité réservée à la Chaîne Maxi-Livres. Liste des magasins : minitel « 3615 Maxi-Livres »

IMPRIMÉ EN UNION EUROPÉENNE
le 06-11-1995
B/95BK23 — Dépôt légal, novembre 1995